150 JUEGOS
Y ACTIVIDADES
PREESCOLARES

COLECCION
EDUCACION Y ENSEÑANZA

Dirección de Jaime Sarramona

Catedrático de Pedagogía
de la Universidad Autónoma de Barcelona

150 JUEGOS Y ACTIVIDADES PREESCOLARES

Zane A. Spencer

ediciones
ceac

Título original: *150 Plus! Games and activities for early Childhood*
© 1976 Fearon Publishers, Inc., 6 Davis Drive
© Grupo Editorial Ceac, S.A.
Para la presente versión y edición en lengua castellana
Ediciones Ceac es marca registrada por Grupo Editorial Ceac, S.A.
ISBN: 84-329-9411-1
7.ª edición: septiembre
Depósito legal: B. 30.747-1994
Gersa, Industria Gráfica
Impreso en España - *Printed in Spain*
Grupo Editorial Ceac, S.A. Perú, 164 - 08020 Barcelona

PALABRAS DE RECONOCIMIENTO

Una obra de este tipo no suele ser fruto del esfuerzo de una sola persona; por ello, quiero expresar aquí mi agradecimiento a la pléyade de desinteresados colaboradores que compartieron conmigo sus ideas y parte de su tiempo. Tres personas sobre todo, destacaron sobre las demás por su entusiasmo y sus consejos que tan útiles han sido en la preparación de este libro. Creo que no sólo son maestras eximias, sino también personas excelentes, y es por ello que deseo expresar mi especial reconocimiento a estas compañeras: Harriet Arnold, maestra de preescolar en la Escuela Elemental Dillon, del Distrito Escolar de Carman, en Flint, Michigan; Fran Williams, lectora de nivel preescolar en la Biblioteca Pública de Flint, y Shirley Erber, profesora de educación especial en el Distrito Escolar de Carman.

No es menor mi reconocimiento a mis pequeños párvulos de las escuelas elementales de Rankin y Griffith Court, de los distritos escolares de Carman y Bendle, respectivamente. Ha sido con estos chicos que he experimentado la mayoría de las ideas y juegos que luego he plasmado en esta obra.

Contenido

III DESARROLLO DE LAS DESTREZAS MOTORAS, 93

IV LAS ESTACIONES DEL AÑO, 122

El otoño y los fantasmas, 122

El 12 de octubre, 133

Navidades, 139

La primavera, 157

Regalos de fabricación propia, 163

V LOS ÚLTIMOS DÍAS DE CLASE, 167

El último día de clase, 169

Introducción

Hoy en día, los niños llegan a la escuela con más conocimientos de los que hayan recibido anteriormente en toda la historia de la educación, por lo que nuestra época es verdaderamente una invitación y un reto para los maestros de escuela primaria. Algunos niños son tímidos o tienen un poquito de miedo. Otros son decididos y precoces. La mayoría están ansiosos por aprender y por explorar el mundo de la escuela. Todos son una mezcla de personalidades maleables, pero distintas, que difieren en antecedentes familiares, madurez y capacidad. El reto para el maestro consiste en trabajar sobre sus necesidades individuales para extraer de cada niño el máximo de desarrollo posible. En muchos tratados se confirma la teoría de que la mejor manera de responder a este reto consiste en trazarse un programa que contenga una gran variedad de experiencias de aprendizaje.

El presente libro ha sido pensado como un manual práctico de juegos y actividades capaces de enriquecer los programas existentes con ideas para muchos tipos de experiencias que contribuyan al desarrollo intelectual, social, emotivo y físico de los niños. Todos estos juegos y actividades han sido ensayados en el aula. Algunos son clásicos; otros son nuevos, pero todos dan buenos resultados. Empero, como todo maestro sabe, las sugerencias dan el máximo de sí cuando se utilizan como punto de partida de la creatividad de cada maestro.

Al principio de cada juego o actividad se indican sus objetivos específicos, pero no se ha pretendido asociar estas ideas con una edad ni con un nivel de dificultad en particular. Es mucho mejor dejar todo esto en manos del maestro, cuyo contacto diario con los alumnos le capacita para conocer las necesidades tanto individuales como colectivas. Con ese conocimiento de sus discípulos, y con la ayuda de la gama de ideas que aquí se exponen, invitamos a los maestros a adaptar el material, sin apuntar orientaciones erróneas e inflexibles acerca de qué es exactamente lo que un niño debe hacer a una edad determinada. Sólo hay que recordar que el niño necesita saberse triunfador, lo cual puede ser una de las líneas directrices más importantes a la hora de programar todas las actividades del aula.

Los maestros, se benefician en igual medida que los niños si su relación con los padres es buena; sobre todo en el nivel más elemental. Añadiremos los siguientes consejos y ejemplos para ayudarles a ganar tiempo en la preparación de las clases y, finalmente, para inspirar otras ideas que contribuyan a lograr un nivel satisfactorio de comunicación con los padres:

En los primeros días del curso escolar, envié una nota de presentación a los padres. En ella se pueden explicar algunas de las formas de colaboración de los padres con los maestros, así como indicar algunos de los útiles y materiales que los niños necesitan traer de su casa. Como no sería conveniente tratar con demasiado detalle los aspectos del año escolar en dicha carta, bastará con un breve párrafo introductorio, seguido de una enumeración individualizada (como en el recuadro de la página 15).

De esta manera se puede redactar el resto de la carta, incluyendo todos los temas que conciernan al maestro, los cuales podrían ser peticiones de colaboración a las madres; explicaciones acerca del dinero que el niño necesitará para pagar la merienda y otras cosas; comentarios acerca de las fiestas escolares; seguridad; o una exposición y un programa general de coloquios.

Los coloquios con los padres son parte esencial de todo programa de enseñanza elemental. La comunicación directa propor-

Estimados padres:

Empezamos otro año escolar, y me place tener a su hijo en mi clase. Considero que la estrecha relación entre los padres y el maestro es de suma importancia para el progreso del niño; así que, aprovecho esta oportunidad para explicarles un poco lo que haremos en la escuela. Deseo responder a las preguntas que ustedes me hagan, y tengo el agrado de invitarles a ponerse en contacto conmigo para todo tipo de consultas o problemas. *(Especificar modo, hora y lugar en donde podamos vernos).*

Complementos: *(Pedir los materiales que los niños vayan a necesitar, para guardarlos en la escuela, como por ejemplo, bata o blusa para pintar, una caja de pañuelos de papel, y cosas por el estilo).*

Añadir: Esta es una experiencia de expresión muy importante para su hijo; por eso, yo invitaré a todos los niños a que traigan de casa juguetes y otros objetos, de vez en cuando, para compartirlos con la clase. Los niños no deben traer nada que luego les duela que se rompa o se pierda. Sería interesante que ustedes indicasen a sus hijos que traigan las cosas en una bolsa, para mayor comodidad suya. Invítenles a que les comenten por anticipado qué es lo que piensan aportar. Al comentarlo, ustedes pueden fortalecer en ellos el hábito de expresarse con frases completas, sobre las que yo insistiré en la escuela. Por ejemplo, indiquen al niño que diga «Quiero llevar mi coche a la escuela», en lugar de decir simplemente «Mi coche».

Indumentaria y calzado: Como a los niños les duele perder sus pertenencias, recabamos su ayuda, consistente en poner su nombre en todos los jerseys, abrigos, chaquetas, guantes, sombreros, zapatos, etc. También en la escuela se insistirá en el cuidado personal, por lo que les ruego que enseñen al niño a abotonarse, vestirse y calzarse.

ciona una oportunidad para analizar el progreso del niño en un ambiente de sana distensión, y permite, tanto a los padres como al maestro, comprender mejor el desarrollo del niño.

Los maestros deben preparar cuidadosamente esos coloquios, que son más fáciles de realizar si se llevan registros detallados. Algunos profesores también suelen comentar algunos ejemplos del trabajo del niño. Sin embargo, para que el coloquio resulte satisfactorio, quizá lo más importante sea recordar que a los padres les gusta que ensalcen a sus hijos. Empezar elogiando lo positivo puede facilitar el abordar luego a ciertos aspectos menos agradables, y lograr, asimismo, que los padres se muestren más receptivos.

Inviten a los padres a formular preguntas y a buscar el diálogo en cualquier momento del año lectivo en que les parezca que surgen dificultades. En este tipo de relación suele estribar la diferencia entre un curso mediocre y un curso provechoso, tanto para ustedes como para los educandos.

La preparación de coloquios con los padres puede llevar tiempo, sobre todo si hay necesidad de celebrar varios contactos en un lapso de pocos días, como sucede en ocasiones. En estos casos puede usarse un formulario como el de la página 17.

Dicho formulario puede llevarlo el niño a su casa, con el ruego de que lo devuelva cumplimentado lo antes posible. Aconsejamos que sea el día siguiente, porque así el maestro tendrá más tiempo para ponerse en contacto con los padres que no respondan.

A veces es necesario sustituir el coloquio por el informe escrito. En el modelo de la página 18 se deja espacio para los comentarios personales.

Los padres suelen preguntarse: «¿Qué puedo hacer para ayudar a mi hijo en casa?», y la mayoría de ellos agradece que el maestro recabe su ayuda en determinados campos. Esto les da la sensación de tomar parte en la educación escolar de sus hijos, así como enterarse de sus progresos. Además, su participación puede ser sumamente útil, si el maestro dedica un poco de tiempo a detallarles lo que espera de ellos.

Por ejemplo, si usted desea que le ayuden en el aprendizaje

Muy señor mío:

Me complace invitarle para el día *(fecha)* a las *(hora)*, en nuestra clase, para conversar acerca de las actividades de *(nombre del niño)* en la escuela.

Le ruego devuelva la presente el día *(fecha en que desea la devolución),* después de seleccionar una de las respuestas abajo indicadas.

1   Puedo asistir en el día y hora señalados.

2   Ruego indicar otra cita.

3   Tengo un problema de transporte. ¿Podría Vd. tomarse la molestia de recogerme en mi casa?

4   Me es imposible asistir. Ruego enviar informe escrito.

del alfabeto, puede empezar con el ejemplo que aparece en la parte superior de la página 19. (Siga trabajando en este sentido de dar a los padres una idea clara del método que aplica en el aula. Puede pedirles que empiecen a coleccionar láminas de animales o cosas cuyos nombres empiecen con determinadas letras. Facilíteles un ejemplo, como el de un león para el «sonido» ele (l). Sugiérales buscar ilustraciones en revistas, periódicos, catálogos, etc., e indíqueles algunas ideas de cómo usarlas cuando hablen con sus hijos. Puede darles instrucciones detalladas, informando exactamente de lo que hay que decir e indicando cuál puede ser la respuesta del niño. También le agradecerán una explicación de por qué les enseña usted determinadas letras.)

INFORME SOBRE LA EVOLUCION DEL ALUMNO

Nombre .... Grado ....
Escuela .... Fecha ....

El presente informe se refiere al rendimiento individual de su hijo y no indica su situación relativa en el grupo.

1. La actitud general de su hijo es:
2. El rendimiento general de su hijo en las materias a que nos referimos es:

	Satisfactorio	Presenta dificultades
aptitud para la lectura		
matemáticas (conceptos numéricos)		
capacidad de atención		
capacidad de expresión oral		
escritura de su nombre (capacidad motriz de los músculos pequeños)		
apreciación de los colores		
independencia (cuidado del vestido, de los útiles, etc.)		
otros		

3. Observaciones:

.... Maestro

En otras cartas se les pedirá que ayuden a los niños a contar y relacionar ciertos objetos. Por ejemplo, se puede invitar a los padres a que insten a los niños a contar los miembros de la familia y, luego, adjudicar a cada uno un plato, una silla o una servilleta.

El conocimiento de los número puede también consolidarse en casa, si los padres aprenden la importancia de pegar carteles

Distinguidos padres:

A lo largo del año escolar estudiaremos los sonidos de las letras y grupos de letras siguientes. Cada letra tiene un sonido y un nombre. Se le enseñarán al niño así:

Letra	Nombre	Sonido
M m	eme	Sonido de *mamá*
P p	pe	Sonido de *pelota*
D d	de	Sonido de *dedo*

con dibujos de los números hechos a mano en la puerta del frigorífico o en otro sitio fácil de ver, o de contar objetos en voz alta, a medida que realizan las tareas cotidianas. La madre puede decir: «Aquí hay un saco de patatas», o bien «Estos son dos huevos», y el padre «Esta es la página tres del periódico», o «Necesito cuatro clavos para concluir este trabajo», etc.

Son incontables las maneras en que los padres pueden colaborar. La mayoría de ellos desean hacerlo, pero es frecuente que no se les ocurra qué hacer, ni cómo. Pero hay que tomar ciertas precauciones. No debe ejercerse demasiada presión sobre la familia. Es posible evitarlo empleando en las cartas un tono amistoso y de colaboración, con explicaciones, detalles y ejemplos sencillos. Una carta bien elaborada no ejerce presión sobre los padres ni sobre los niños, sino que, por el contrario, induce a los primeros a preocuparse por éstos y a colaborar en su formación.

Los padres pueden proporcionar una ayuda igualmente valiosa al maestro atareado, tanto en el aula como en el trabajo fuera de la clase. Encontrar voluntarios en el nivel elemental no suele ser un problema, pero sí lo será si el maestro acepta la ayuda sin explicar antes claramente los objetivos que se desea alcanzar. Es preciso tener muy definido lo que se desea obtener, y definirlo exactamente.

He aquí algunas ideas acerca de la ayuda que pueden prestar en el aula los padres que deseen hacerlo:

1 Pueden invitar a otros padres a que organicen fiestas, excursiones y otras actividades especiales.

2 Los padres que realizan trabajos poco corrientes (o desempeñan algunas funciones públicas que el maestro esté explicando) serán invitados a hablar de todo ello con los niños.

3 También puede invitarse a los padres que tienen alguna destreza especial, *pasatiempos* poco frecuentes, o que provengan de otros países.

4 Conviene estimular a los padres para que colaboren en la escuela, sobre todo en actividades útiles, como la construcción. Esto es especialmente beneficioso para los niños que viven con su madre o se hallan sometidos a una influencia predominantemente materna.

5 Puede pedirse a una o dos madres que atiendan a otros padres cuando acuden a los coloquios con el maestro, o en las ocasiones en que se invita a todos los padres a que acudan a la escuela por motivos especiales.

6 A muchos padres les gusta trabajar con niños en las clases y, además, lo hacen muy bien.

En realidad, por todas partes se encuentran ideas para enriquecer la actividad escolar. Pero las ideas no sólo son el comienzo. Han de ser hechas realidad por los maestros entusiastas y responsables. Es posible hacer una extensa compilación de ideas útiles, tal como se hace aquí, pero, una vez que se ha dicho, todo lo único que un autor puede esperar es crear un libro que despierte el entusiasmo del propio maestro. Ese entusiasmo es lo que determina la eficacia real de cualquier método, teoría, idea o consejo. Para que el presente manual se convierta en la obra funcional, práctica y útil que se ha querido hacer es necesaria la aportación personal del educador.

I.
LOS PRIMEROS DIAS
DE CLASE

Los primeros días pasados en la escuela tienen una importancia fundamental para los niños pequeños. Comenzar la escuela «con el pie derecho» puede condicionar positivamente todo el curso escolar del niño. Es en este período cuando los maestros fijan los métodos de enseñanza, cuando pueden eliminar los temores de los niños por estar fuera de casa, y hacer de la escuela un sitio agradable para los pequeños.

En el presente capítulo expone algunas ideas para ir implantando ciertos hábitos y actividades escolares que causan una buena impresión inicial en los niños pequeños. En él se ofrecen consejos para la colocación de «tablones de anuncios», para comenzar el día, para la disciplina y los hábitos en la clase y para la formación de la autoimagen. Aunque muchas de estas ideas no son una novedad en el ámbito de la educación, los maestros imaginativos les sacan muy buen partido; por ello confío en que su inclusión en la presente recopilación les aliente a poner en práctica algunas que todavía no hayan experimentado. Si les sirven, habrán añadido a su repertorio personal algunas experiencias provechosas.

EL «TABLON DE ANUNCIOS»

1 Muñecos de bienvenida

OBJETIVO   Reconocer nombres.

MATERIALES   Cartulina, rotulador negro y alfileres (uno para cada alumno)

Cubrir el «tablón de anuncios» con cartulina o un material similar. Con rotulador negro dibujar en él la expresión «Bienvenidos a la escuela», o bien recortarla en cartulina. Pegar en el centro una lámina o un dibujo que represente la escuela. Recor-

tar en cartulina de colores vivos, una figurita por cada uno de los alumnos de la clase. (La hoja de cartulina de 20 × 30 cm, plegada en cuatro, permite cortar cuatro de cada vez, aproximadamente, del tamaño necesario). Conviene tener algunos más en reserva, por si aumenta el número de alumnos. Recortar un muñeco mayor, que representará al maestro. Escribir con letra de imprenta el nombre de un niño en cada figurita y el del maestro en la figura mayor. La letra de imprenta permite leer desde cierta distancia. Colocar luego las figuras, de suerte que el «maestro» esté junto a la escuela y los «niños», acercándose a ella.

Cuando los niños llegan, se les indica que se sienten ante el tablón, para pasar lista. El maestro explica las palabras del título y de la bienvenida a los niños. Luego señala al muñeco que lo representa, y explica que lleva su nombre escrito. Los niños deben repetir el nombre del maestro, una vez que éste se lo ha hecho saber. Más tarde el maestro se prende en la ropa con el alfiler la figura que lo representa y explica que lo hace para ayudarles a recordar su nombre.

Luego les dice que cada uno de ellos tiene también una figurita en el panel, con su nombre escrito, y a medida que pase lista, el maestro les ayuda a encontrar la figura de cada uno. A medida que las van encontrando, el maestro les sujeta dicha figura con el alfiler, aclarando que con ello podrán recordar mejor el nombre de cada compañerito.

Pueden volver a ponerse los muñequitos en el panel, cuando los niños regresan a casa. Los niños buscarán sus respectivas figuras al día siguiente, para volver a ponérselas durante las horas de clase.

2 Formas

OBJETIVO   Reconocer formas geométricas elementales y desarrollar los músculos pequeños.

MATERIALES   Tijeras, cartulinas, crayones, papel manila de 20 × 30 centímetros, aproximadamente, y grapadora.

Preparar un tablero, con las cuatro formas geométricas elementales (círculo, triángulo, cuadrado y rectángulo) recortadas en cartulina, cada una recortada de una hoja de 20 × 30 cm y de distintos colores para cada figura. También se recortan varios juegos pequeños de las cuatro figuras, uno para cada niño, de manera que cada figura tenga también el mismo color que la respectiva figura de mayor tamaño colocada en el tablero.

Las figuras que se ponen en el tablero causan impacto visual y son de gran ayuda a la hora de enseñar las formas geométricas básicas.

Las figuras se presentan de una en una. Por ejemplo, el día dedicado al círculo, se da a cada niño un círculo pequeño. El maestro pregunta quién es capaz de encontrar un círculo grande en el tablero. Luego explica qué es el círculo y hace que los pequeños lo formen con los dedos. También se ordena a los niños que formen un círculo en torno del maestro. La última actividad consiste en dar a cada niño una hoja de papel manila de 20 × 30 centímetros. Los pequeños, con sus lápices, dibujarán en el papel tantos círculos como puedan. Mientras lo hacen, se puede grabar en el papel el circulito de cartulina previamente distribuido. El maestro puede pedir a los niños que se lleven los trabajos a casa y que hablen de lo aprendido con sus padres.

3 Colores

OBJETIVO Reconocer colores.

MATERIALES Lápices nuevos, de color rojo, verde, amarillo, azul, anaranjado y marrón (uno de cada), y cartulina.

Los colores son otro elemento útil para formar un interesante mural. También es posible emplearlos como medios didácticos.

Se pegan con cinta adhesiva los lápices de los seis colores básicos, sobre unas hojas de cartulina del mismo color. Con rotulador negro, se escribe en cada hoja el nombre del color.

4 *VARIACIÓN*
El juego de igualar los colores

Hacer un juego de fichas, escribiendo en cada una el nombre de un color. El maestro levanta una ficha y pregunta si los niños pueden hacer coincidir el color de la tarjeta con uno de los colores expuestos en el mural. Otro juego consiste en desplegar sobre una mesa varios lápices de distintos colores, señalar uno de ellos y pedir a los niños que busquen en el encerado el color correspondiente.

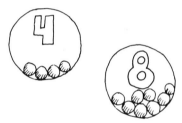

5 Números

OBJETIVO Reconocer números y formar conceptos.

MATERIALES Placas de cartón, rotulador negro.

Cubrir el encerado con un papel de color vivo: rojo o amarillo. Escribir la frase: «¿Sabes contar?». Escribir los números 1 al 10 en otras tantas placas de cartón, en cada una de las cuales se habrán dibujado tantos puntos como el número representado. (Hacer dos juegos de placas.)

Colocar uno de los juegos en el tablero, y conservar el otro para hacer juegos similares al de la actividad 4.

El repaso diario de los números puede consistir en que los niños los repitan a medida que el maestro los señala. Desde luego, pueden fijarse otros conceptos mientras se explican los números del encerado. Por ejemplo, es posible repasar el concepto de círculo, o de los colores rojo y amarillo. También puede contarse la cantidad de figuras colocadas sobre el panel en la actividad 2, y así sucesivamente.

6 El calendario

OBJETIVO Reconocer números, practicar la escritura de números, practicar el concepto de correlación numérica y enriquecen el vocabulario.

MATERIALES Un calendario grande (de unos 30 × 40 cm) confeccionado por el maestro.

Formar la hoja del calendario correspondiente a septiembre y enseñar un número por día, haciendo que un niño tache el número que corresponda a la fecha. Una vez que los niños hayan aprendido a escribir los números, hacer un calendario en blanco del mes en curso, y pedir cada día a un niño que ponga el número correcto en su sitio.

7 Seguridad

OBJETIVO Desarrollar el concepto de seguridad.

MATERIALES Carteles de educación para la seguridad personal, que pueden facilitar gratuitamente el Ministerio de Educación u otro organismo.

Clases de educación y seguridad personal, con ayuda de carteles que ilustren circunstancias diversas.

8 Escenas otoñales

OBJETIVO Desarollar el lenguaje y presentar el concepto de estaciones.

MATERIALES Escenas otoñales tomadas de revistas.

Se recogen láminas ilustrativas del otoño, se pegan en cartulina y se disponen en el encerado, bajo el título de «Septiembre ha llegado». El maestro habla del otoño e invita a los niños a que refieran las experiencias propias.

ACTIVIDADES PARA EL APRENDIZAJE DE COSAS NUEVAS

9 Empezar la jornada con un juego de manos

OBJETIVO Desarrollar hábitos de trabajo en clase, de concentración de la atención, coordinación motriz y memoria auditiva.

MATERIALES Ninguno.

Una manera de empezar la jornada escolar consiste en establecer el hábito de sentarse y jugar todos a realizar juegos con los dedos. El juego puede basarse en una frase-guía. Por ejemplo:

Este es mi sombrero.
Entrecruzar los dedos de las manos sobre la cabeza.

Estas son mis gafas.
Hacer círculos con el pulgar y el índice de ambas manos para imitar la forma de unas gafas.

Y así pongo las manos al empezar la clase.
Entrecruzar los dedos sobre el pupitre o el regazo.

Las innovaciones en los juegos de manos ayudan a que los niños desarrollen su creatividad, además de que algunos de esos juegos pueden cumplir funciones específicas como auxiliares didácticas. En la actualidad existen excelentes libros de juegos de este tipo.

10 Sigamos al maestro

OBJETIVO   Desarrollar la independencia y la seguridad personal, establecer una relación entre el maestro y los alumnos, enseñar palabras nuevas y establecer parámetros para el desarrollo de la destreza de identificación de objetos.

MATERIALES Etiquetas para adherir a todos los objetos existentes en la clase, tales como mesas, pared, suelo, ventana, libro, encerado, armario, etc.

El maestro debe hacer que los niños se sientan seguros y que se familiaricen tan pronto como puedan con la clase y con lo que ella contiene. Empieza por presentarse a sí mismo:

> Me llamo .... y soy vuestro maestro.
> A ver, repetid mi nombre. Ahora ya sabéis quién soy, y pronto yo sabré quiénes sois vosotros. Estoy seguro de que vamos a ser muy buenos amigos. La verdad es que vais a tener *muchísimos* amigos nuevos en la escuela.

El maestro prosigue con sus observaciones y responde a cualquier pregunta recelosa que pueda surgir. Luego explica que la clase es un sitio agradable e invita a los alumnos a jugar a un juego llamado «Sigamos al maestro», en el cual él les conducirá para familiarizarlos con la clase.

Antes de empezar el recorrido, conviene indicar a los niños dónde están los retretes y las fuentes donde pueden beber. A medida que se desplazan, el maestro señala las etiquetas puestas en cada objeto y explica que las palabras escritas en ellas son los nombres de cada cosa. Así, les presenta el área de trabajo, el área de juegos, los encerados o tablones de anuncios, la mesa del maestro, las mesillas o pupitres de los alumnos, los armarios, las perchas para los abrigos, el almacén de materiales, y así sucesivamente.

A medida que se efectúa el recorrido, conviene explicar brevemente las normas para el uso de cada cosa:

> «Aquí vais a jugar con vuestros juguetes, pero como queremos que la clase esté bonita para todos, hay que tener cuidado de guardar todos los juguetes cuando hayamos terminado de jugar.»

Los niños pequeños aceptan muy bien las normas, si se les explican razonablemente y con cariño. Para muchos niños, el ir a la escuela es un principio de independencia, y el saber lo que se les exigirá puede ser muy importante para ellos.

11 Voces interiores/voces exteriores

OBJETIVO   Establecer hábitos de trabajo en clase, desarrollar la responsabilidad personal y formar imágenes personales.

MATERIALES   Ninguno.

Hacer sentar a los niños en el suelo, formando un corro. Inventar un cuento acerca de que la gente tiene dos voces, o bien empezar preguntando a los niños: «¿Cuántas manos tengo yo?», «¿Cuántas manos tienes tú?», «¿Cuántos pies tengo?», y otras por el estilo.

Y se prosigue así: «¿Sabíais que las personas tienen también dos voces? Una voz es muy buena para usarla hacia fuera, y la otra es muy útil para usarla hacia dentro. Una voz es fuerte, y la otra es silenciosa. ¿Cuál creéis que es la voz interior de una persona? ¿Por qué es mejor que en clase uséis vuestra voz interior? ¿Qué voz estoy usando ahora? Sí, yo siempre trato de usar dentro de mí la voz interior, y vosotros tenéis que hacer lo mismo.»

Explicar por qué razón es buena esta idea, echando mano de diversos ejemplos. Es probable que los niños puedan aportar ejemplos de su cosecha.

Una manera de animar a los niños a que recuerden consiste en practicar con ellos a un juego de imaginación. Por ejemplo, después de un período de juegos, se les hace formar fila. Una vez formados, se les ordena quitarse las voces exteriores y guardárselas en el bolsillo, luego, se les pide que busquen en el otro bolsillo y saquen la voz interior. Se les hace fingir que se atornillan muy firmemente la voz interior a la boca, porque ha llegado el momento de volver a entrar en el aula.

12 Nuestra bandera

OBJETIVO   Establecer hábitos de trabajo en clase, desarrollar la memoria auditiva y familiarizar a los alumnos con la historia de la bandera.

MATERIALES   La bandera de España.

Mostrar la bandera a los niños, preguntando si alguno de ellos sabe qué significa. La mayoría de los niños pequeños no tiene la menor idea de ello. Puede comenzarse con una sencilla explicación de cómo hay que permanecer de pie y en posición de respetuosa atención durante la jura de la enseña nacional. Por ejemplo:

> Se explica que la bandera es el *símbolo* de la unión de todos los españoles, con independencia de su nacionalidad o región, en una Patria común que es España, y ésta es nuestra bandera.
>
> Brevemente, y con sencillez, se aclara también el significado de los colores nacionales y del escudo de la Patria. Los niños pueden intervenir, respondiendo a las preguntas sobre cuál es el significado de la bandera para los españoles.

13 Estoy aquí

OBJETIVO   Desarrollar la responsabilidad personal y el reconocimiento del propio nombre.

MATERIALES   Un tarjetero y tarjetas de visita o trozos de cartulina de unos 8 × 12 cm.

Escribir el nombre de cada niño, con letra de imprenta, en una tarjeta de visita o un trozo de cartulina fuerte. Dividir el tarjetero en dos secciones, titulando a una de ellas «Estoy aquí» y la otra «Estoy en casa». Para empezar, poner las tarjetas en esta segunda sección, e indicar a los niños que cada mañana, al llegar, tendrán que tomar las tarjetas con su nombre de esa sección, y ponerlas en la sección «Estoy aquí». Al principio, a ciertos niños puede costarles localizar la tarjeta con su nombre (no siempre estarán en el mismo compartimiento, para complicar un poco la tarea), pero una vez adquirido el hábito, resulta automático y divertido.

Antes de regresar a casa, los niños volverán a poner sus tarjetas en el compartimiento «Estoy en casa» del tarjetero.

14 Los cumpleaños

OBJETIVO   Formar una autoimagen positiva.

MATERIALES Un cartel o una ilustración recortada de una tarta de fiesta (de unos 50 × 60 cm), con la leyenda «Feliz cumpleaños».

Al comenzar el curso dibujar o recortar en papel de color una tarta de cumpleaños bastante grande, colocándola en un sitio en que se la pueda dejar todo el año. Si se pone en la pared, o en el frente de la mesa del maestro, se ahorran espacio del encerado.

Pegar bajo la tarta un cartel en que figuren los cumpleaños de los alumnos, ordenados por meses. Puede establecerse un día al mes para celebrar juntos todos los cumpleados de ese período. Los que caen en verano, se celebran también, aunque, en el mes de junio.

En torno de la lámina de la tarta disponer las que aporten los alumnos.

15 Canción de colaboración

OBJETIVO   Desarrollar la memoria auditiva, una autoimagen positiva, la responsabilidad y el lenguaje.

MATERIALES Ninguno.

Para que los niños tomen conciencia de su ser en relación con su familia y con los nuevos amigos de la escuela, enseñarles una «canción de la colaboración», como la que se indica más abajo. Pedir a los niños que identifiquen a los miembros de su familia y enseñarles de qué manera cada uno de ellos colabora en el trabajo de la casa.

Ampliar luego la idea del trabajo doméstico aludiendo a todas las maneras posibles de colaborar en la escuela. Esta conversación puede conducir a la elaboración de un plan para establecer turnos de colaboración en clase (Actividad 16).

LAS MANOS QUE COLABORAN

Si las manos colaboran,
nadie las podrá rendir.
Todo es fácil y sencillo
si sabemos compartir.

16 *VARIACIÓN*
La colaboración en la escuela

OBJETIVO   Desarrollar el sentido de la independencia y la responsabilidad individual.

MATERIALES   Un tablero de 45 × 60 cm y láminas o dibujos que simbolicen los quehaceres propios de la clase.

Explicar todas las tareas de mantenimiento que es preciso realizar cada día en la clase. Hacer que los niños enumeren todas las tareas que recuerden. Se confecciona un gráfico en el cual cada uno pueda «leer» los símbolos o dibujos que representen cada tarea.

Recortar en cartulina una mano infantil, que servirá de patrón para recortar otras manos de papel de color claro, con los nombres de cada uno de los alumnos, colocándolas luego en los bolsillos dispuestos frente a las tareas que corresponde realizar a cada uno de los niños. Si hay más niños que tareas, pueden cambiarse de sitio las manos cada semana, para que todos intervengan, y también para que los niños varíen sus ocupaciones.

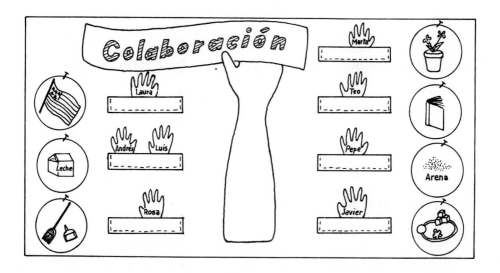

17 Buenos modales

OBJETIVO   Desarrollar la sociabilidad.

MATERIALES   Ninguno.

Con el ejemplo se asimilan mejor los buenos modales. Si el maestro dice «por favor», y «gracias», pronto los niños actúan de la misma manera.

Aprender a decir «perdón» puede resultarles difícil a algunos niños. Pero también en este caso, el buen ejemplo y la insistencia amable suelen ser lo único que se necesita para generar un comportamiento aceptable.

Las interrupciones quizás sean el punto más difícil para los maestros de párvulos. Una actitud firme, al par que dulce, es prácticamente el único consejo que puedo dar: «Por favor, no interrumpáis mientras hablo. Gracias»; o «Tienes que aguardar tu turno; ahora le toca hablar a Junito». Indicaciones como éstas sirven para recordar a los alumnos que los buenos modales obligan a esperar el turno y a no interrumpir cuando otros hablan.

La noción de los buenos modales se fortalece día a día durante la actividad consistente en «mostrar y decir». En ella, los niños comprenden claramente que si quieren que los demás les escuchen mientras hablan, también deben escuchar cuando hablan los demás.

18 Dibujo de un estornudo

OBJETIVO Crear hábitos saludables.

MATERIALES Pizarra y tiza.

Al llegar la estación de los resfriados, resulta útil realizar un dibujo en el encerado.

Se da a los niños una explicación de este estilo: «Dentro de la tos y del estornudo viven unos gérmenes que están muy ansiosos por salir de allí y atacan a otras personas. A veces, estas pequeñas alimañas pueden contagiar a otros compañeros, como ocurre con los catarros. Vosotros no queréis contagiar a vuestros compañeros, así que no debéis compartir con ellos vuestros gérmenes.

Cada vez que tosais o estornudéis, acordaos de cubriros la boca con el pañuelo o con la mano.»

19 ¿Quién, yo?

OBJETIVO Formar una autoimagen positiva.

MATERIALES Espejo de mano (optativo).

Para hacer que los niños tomen conciencia de sí mismos en tanto que personas, y para que elaboren su propia imagen, toman parte en el juego llamado «¿Quién, yo?».

Los niños se sientan en el suelo formando un círculo. Se les dice que todos los presentes van a tener oportunidad de mirarse en el espejo, por turnos, y decir algo agradable acerca de lo que ven. Si no se usa el espejo de mano, se hace que cada niño diga algo positivo de sí propio.

Para darles una idea de cómo practicar este juego, la maestra empieza por decir algo halagador de sí misma; por ejemplo: «Me llamo ...., y tengo una sonrisa agradable».

Si se usa el espejo, se entrega por turnos a todos los niños o se pone frente a él, de suerte que se vea, y se les pide que digan algo bonito de lo que ven. Si un niño vacila o no se le ocurre nada que decir, se le puede alentar con sugerencias como éstas:

«Conchi tiene unos ojos hermosos.»
«Paco lleva una camisa muy elegante.»
«Inmaculada tiene un cabello muy largo y bonito.»
«Los dientes de Teresa son muy blancos.»
«Pepe es amigo de todos.»

20 Yo soy especial

OBJETIVO   Formar una autoimagen positiva.

MATERIALES   Papel de dibujo de 30 × 40 cm (tantas hojas como niños haya en clase); un rotulador, engrudo y crayones para cada niño, dos piernas y dos pies, dos brazos y dos manos, un cuello y una cabeza, recortados cada uno en papel o cartulina de 20 × 25 cm.

Para crear y desarrollar la conciencia del propio ser hacer que los niños, interviniendo por turno, mencionen uno o dos motivos por los cuales se consideran especiales y distintos de los demás. Pueden hacerse sugerencias a los que vacilen: «Tú eres muy sociable», «Tú sabes cantar bien», «Tú haces dibujos muy bonitos».

Cada afirmación que hagan los niños se anota en una hoja de papel, con el nombre del autor encima. Luego se reparten las figuras de los miembros recortadas en cartulina: piernas, brazos, cuellos y cabezas, y se les enseña cómo confeccionar una figura humana empleando como tronco la tarjeta que contiene la frase. Pedirles también que dibujen con los crayones una cara distinta para cada cual; luego, pegar las partes para formar los muñecos. Una vez terminados, pueden exhibirse en la pizarra o en un panel, o dejar que los niños se los lleven a casa.

APRENDIZAJE DE NUEVAS DESTREZAS

21 Seguro que puedo

OBJETIVO   Desarrollar una autoimagen positiva, afinar la musculatura pequeña y practicar la escritura del propio nombre en letras de imprenta.

MATERIALES   Algún libro de cuentos o una película infantil en que se exalten el tesón y la fuerza de voluntad.

A principios del curso, se puede referir a los niños la moraleja del libro elegido, o proyectar la película que se puede complementar con la fábula del tren que tenía que remontar una pendiente, repitiéndose constantemente «Seguro que puedo», y que, tras varios intentos fallidos, lo lograba; o relatar cualquier otra fábula o cuento infantil que exalten la tenacidad y la perseverancia en el esfuerzo. Concluida la narración, formular a los niños preguntas relacionadas con el asunto: «¿Pensaba el trenecito que podría remontar la pendiente, aunque fuese muy difícil?», o «¿Seréis capaces de hacer cosas que al principio parezcan difíciles, si os repetís que estáis seguros de poder?», etcétera.

A continuación, decir a los niños que en la escuela harán muchas cosas nuevas y aclararles que algunas de ellas podrán parecerles difíciles al principio, pero que la perseverancia es el secreto para resolverlas, como hizo el pequeño tren.

Los niños repetirán varias veces la frase «Seguro que puedo». Luego se les pedirá, por ejemplo, que anden a la pata coja o realicen cualquier otra actividad sencilla. Conviene hacerles observar que obtienen mejores resultados cuando ponen empeño en su tarea y están convencidos de que pueden.

Darles otras instrucciones sencillas, y pedirles que intenten algo más difícil. Esto servirá de preparación para que luego empiecen a escribir sus nombres. Recordarles que el trenecito insistía una y otra vez y que, como estaba seguro de poder hacerlo, pronto lo logró. Si se esfuerzan en escribir sus nombres y están convencidos de que pueden, pronto aprenderán.

Indicar a los niños que escriban sus nombres en sus papeles de dibujo, en sus cuadernos, etc. Recordarles la historia del trenecito —u otra similar—, y a los que mayor empeño pongan, recompensarles con una palabra de elogio o tal vez con algún premio, como, por ejemplo, una fruta.

Cuando los niños logren escribir sus nombres, hacer que lo repitan en tarjetas que pueden disponerse en un mural, bajo el título de «Seguro que puedo».

22 Instrucciones en colores

OBJETIVO Aprender a reconocer colores y a seguir instrucciones.

MATERIALES Ninguno.

Los niños pueden aprender los colores rápidamente si el maestro establece una técnica diaria consistente en dar instrucciones basadas en los colores. Por ejemplo:

«Por favor, todos los niños que tengan puesto algo rojo, poneos en pie.»

«Los niños que llevan algo azul podrán ser los primeros en salir a los juegos.»

«Si hoy lleváis algo amarillo, podréis cantar la primera canción en la hora de música.»

«Si tenéis puesto algo verde, hoy seréis los primeros en recoger los abrigos para marcharos.»

Para no poner en apuros a los que todavía no han aprendido los colores, puede echarse mano de algún subterfugio, como, por ejemplo, pedir a un niño que se mire la camisa: «Qué bonita camisa amarilla llevas. ¿Te habías olvidado de que hoy te habías puesto, la camisa amarilla?».

Otros niños suelen mostrarse dispuestos a ayudar a sus amigos, y son capaces de hacerlo de modo que nunca ponen en apuros al otro.

23 Prácticas de matemáticas

OBJETIVO Aprender los números, desarrollar la sociabilidad y adquirir responsabilidad personal.

MATERIALES Ninguno.

De entrada, hay que crear oportunidades para que los niños practiquen las matemáticas. Durante la hora de la comida o el bocadillo, pedir a algunos que cuenten las personas que hay sentadas a cada mesa. Un niño puede responsabilizarse de que se pongan suficientes servilletas; otro, de las pajitas para beber; otro, la leche y las galletas, etc. Hay que enseñarles a que lleven una cantidad de cada cosa igual al número de niños a que estén sirviendo. Si un niño se equivoca en las cantidades, hacerle contar cuántas unidades le faltan o cuántas ha dejado de cargar en la bandeja. De esta manera, no sólo practican los números, sino que también aprenden a revisar las cuentas.

VARIACIÓN

Otra manera de hacer un uso práctico de las matemáticas consiste en elegir cada día a un alumno para que haga el recuento. Este niño recorre la clase y va señalando uno por uno a sus compañeros, al tiempo que éstos cuentan en voz alta. Recordarle que ha de incluirse en el recuento. Luego, el niño puede escribir el número resultante en la pizarra, solo o con la ayuda del maestro. A continuación, ordenar al alumno elegido que añada uno más, para el maestro, y anunciar: «Hoy, en nuestra clase, somos tantas personas».

24 Uso de las tijeras

OBJETIVO Aprender normas de seguridad, desarrollar la musculatura pequeña e identificar a los niños zurdos.

MATERIALES Un trozo de papel para cada niño, igual número de tijeras y, además, algunas tijeras para zurdos.

Explicar de qué manera se usan las tijeras para no hacerse daño y, luego, dar unas a cada niño, junto con un trozo grande de papel de periódico u otro similar. Indicarles que recorten un círculo grande. Una vez hecho esto, pueden dibujar en él una cara, con los crayones. Hay que hacerles la demostración, para darles una idea de cómo hacerlo.

Mientras recortan, el maestro observa y anota qué niños son diestros y cuáles son zurdos. A estos últimos puede pedírseles que prueben con otro par de tijeras, especiales para ellos. De tal suerte, éstos podrán pedirlas en la próxima oportunidad en que haya tareas en las que haya que recortar. Con estas tijeras, su trabajo les resultará más fácil.

25 Cartelas para poner el nombre

OBJETIVO Desarrollar la musculatura pequeña y adquirir práctica en la escritura del nombre.

MATERIALES Una hoja de cartulina de aproximadamente 18 × 24 centímetros para cada niño y un rotulador para el maestro.

Plegar a lo largo las hojas de cartulina de colores. Escribir el nombre de cada niño, con letra de imprenta, en trozos de papel blanco, y adherir éstos a los trozos de cartulina, con goma de pegar o con grapas. Luego las cartulinas se distribuyen para que los niños las usen durante las prácticas de escritura de su nombre, para recogerlas después, o para que las guarden y las empleen cuando lo necesiten.

Otra manera de trabajar consistirá en escribir el nombre de cada niño de la manera indicada, y luego cubrir cada uno con un trozo de plástico transparente, para que los alumnos puedan remarcar las letras de su nombre con lápiz de color en el momento de la práctica correspondiente. Más adelante, estos carteles les servirán como modelo al escribir su nombre en sus cuadernos.

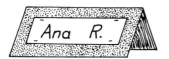

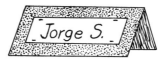

26 Mírame bien

OBJETIVOS Disciplina en la clase y desarrollo de los músculos mayores.

MATERIALES Ninguno.

En ciertas ocasiones, cuando los niños están inquietos y necesitan un poco de actividad antes de sentarse a escuchar una narración, o a recibir instrucciones, se puede jugar brevemente al «mírame bien». Se trata de una especie de versillos rítmicos, que pueden variarse a voluntad, y que los niños reciben siempre con placer.

Como beneficios adicionales, este juego desarrolla el dominio de las funciones motrices, ejercita la musculatura y permite comprender mejor la importancia que tiene prestar atención y cumplir las instrucciones recibidas.

Enseñar los versillos a los niños y realizar las acciones que cada uno indica. El verso final debe recitarse con cierto énfasis. Una vez sentados, tendrán que escuchar con atención.

Miradme bien, miradme mejor,
cómo la vuelta me doy.

·Señalarse a sí mismo.
Girar sobre los talones lentamente.

Miradme bien, miradme con celo,
cómo ahora toco el suelo.

Tocar el suelo.

Miradme bien, miradme otra vez,
que esto que véis son mis pies.

Señalarse los pies.

Miradme bien, ahora y después,
que la vuelta doy al revés.

Girar en el otro sentido.

Miradme bien, mirad, por favor.

Saltemos a más y mejor.	*Saltar repetidas veces.*
Miradme, miremos, la ropa lavemos.	*Remedar el lavado de ropa.*
Miradme bien, miradme y sentaos y ahora muy quietos quedaos.	*Los niños se sientan.*
Miradme bien, no dejéis de mirar. ¡Chitón! Ahora, todos callad.	*Con el dedo en los labios, permanecer un momento en silencio.*

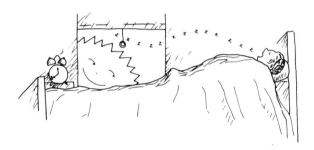

27 Cantar en francés

OBJETIVO Desarrollar una autoimagen positiva, la memoria auditiva y la comprensión de la música.

MATERIALES Piano.

A los niños les gusta saber cosas nuevas y se sienten orgullosos cuando aprenden alguna cancioncilla en un idioma extranjero. Puede utilizarse a la vieja melodía francesa del *Frère Jacques* para despertar estas saludables sensaciones. La canción es fácil de traducir y los niños la aprenden en seguida.

Frère Jacques, frère Jacques,
Dormez-vous? Dormez-vous?
Sonnez les matines,
Sonnez les matines,
Din, din don. Din, din don.

Una vez que la han aprendido en francés, se les traduce al castellano, haciéndosela cantar en este idioma:

Fray Santiago, fray Santiago,
¿Duerme usted? ¿Duerme usted?
Toque los maitines,
toque los maitines,
din, don dan. Din, don dan.

Se puede dividir a la clase en dos grupos, haciéndoles cantar el *Frère Jacques* por turnos, un grupo en francés, y el otro en castellano.

28 Equipos para jugar a ser mayores

OBJETIVO   Desarrollar el lenguaje y enriquecer el conocimiento de las funciones y profesiones socialmente relevantes.

MATERIALES   Toda clase de útiles, según se detallará más abajo, y cajas de cartón para guardarlos.

Después de una clase destinada a explicar los trabajos que los hombres realizan en la comunidad o en todo el mundo, esta actividad puede servir para fijar conocimientos y desarrollar el lenguaje. Empezar con una caja que contenga objetos para jugar a ser miembros de una profesión de terminada. Por ejemplo, un «equipo de maestro» puede constar de un bloque de papel, una regla, una tiza, un paquete de fichas, unas gafas, lápices de color, tijeras, libros, etc. Explicar a los niños que se trata de algunos de los objetos que puede necesitar la persona que se dedica a esa profesión, y preguntarles si pueden recordar alguna otra herramienta o material propio del oficio en cuestión. Algunos de los niños se ofrecerán a traer de sus casas otros materiales. En tales casos, conviene recomendarles que no lo hagan sin permiso de sus padres. Asimismo, hay que prevenirles sobre las precauciones necesarias en el empleo de ciertos elementos, como el martillo y los clavos, en el equipo de carpintero.

Una vez que los niños han visto de qué consta el equipo, pedirles que piensen cómo pueden jugar con él en la clase. Por ejemplo: «¿Podéis imaginar juegos en los que se usen los objetos que hay en la caja? Seguro que sí. Inventemos ahora algún juego». En un principio, se elige a dos o tres niños y se les ayuda a empezar, mostrándoles algunas de las maneras de imitar el trabajo de que se trate.

A los demás niños se les explica que ellos son el público. Esta es la oportunidad de hablarles sobre cómo debe comportarse un público espectador, cómo escuchar con atención, cómo aplaudir al final, sin abuchear nunca a los «actores».

Terminado el primer juego, escoger otro grupo de niños, para jugar con el mismo equipo. O también se puede seleccionar otra profesión para este segundo grupo.

Los equipos se guardan en el local destinado a la representación escénica (o, en su defecto, en cualquier rincón de la clase) para usarlos en las horas dedicadas a las actividades libres.

La sencillez o la complicación de cada equipo depende del gusto y de las posibilidades de cada uno. He aquí algunas combinaciones posibles:

> El médico o la enfermera: toda clase de instrumentos y equipos para jugar a médicos y enfermeras, como vendas, cuchara o espátula para aplastar la lengua, frascos vacíos, etc.
> El actor: disfraces, máscaras, maquillaje, espejo y pelucas.
> El cocinero: perolas, cazos, cacerolas y demás utensilios de cocina, delantal y gorro.

La especialista en tratamientos de belleza: peines, cepillos, secador de pelo, rulos, cintas, espejo.

El fontanero: llaves y otras herramientas, arandelas, un grifo viejo, una caja de herramientas.

El explorador: salacots, cananas, mapas viejos, brújula.

El técnico: una radio o televisor en desuso, un reloj, herramientas.

El florista: gomaspuma, flores de plástico, helechos, tiestos, floreros, cintas.

El pescador: cañas y redes de pescar, peces de juguetes imantados.

El ejecutivo: cartera, cuadernos de notas, lápices, teléfono, máquina de escribir, agenda.

29 Evaluaciones diarias

OBJETIVO   Desarrollar la memoria y el lenguaje.

MATERIALES   Ninguno.

Al final de cada jornada, dedicar unos minutos a recapitular el trabajo de clase. Invitar a los niños a que digan qué actividades les han gustado más. También pueden hablar de cualquier problema que haya surgido y proponer soluciones para evitarlos en el futuro.

Algunas de las preguntas que el maestro puede formular para dar pie a que los niños piensen y aprendan a valorar las cosas, son éstas:

«¿Quién puede decir algunas de las cosas que hemos hecho hoy?»

«¿Hemos aprendido algo nuevo?»

«¿Hemos oído alguna canción nueva o nos han contado algún cuento que no conocíamos?»

«¿Qué hemos hecho hoy de especial?»

«¿Qué ha sido lo más divertido?»

Las preguntas como éstas ayudan a los niños pequeños a recapitular y fijar mentalmente el trabajo del día. Esto hace que así regresen a sus casas con la sensación de no haber perdido su tiempo y de haberlo pasado bien.

II.
DESARROLLO DE LAS DESTREZAS BASICAS

De la experiencia vivida en su actividad decente, el pedagogo estadounidense John Dewey sacó la conclusión de que la comprensión y la memoria se desarrollan en gran medida si se ofrece a los niños la oportunidad de aplicar de modo inmediato los conocimientos que van adquiriendo. Esta conclusión ha sido ratificada por las observaciones de otros muchos investigadores posteriores.

Para los niños de edad preescolar, la lectura, la escritura y la comprensión de los conceptos matemáticos son todavía unas metas muy distantes. La preparación para alcanzar tales metas comprende muchas destrezas que pueden fortalecérsele merced a unas experiencias satisfactorias y enriquecedoras. En este y otros niveles de la educación ,el aprendizaje conceptual puede hacerse más permanente si los niños piensan que tienen buenas razones para utilizar sus nuevos conocimientos. En el presente capítulo se sugieren numerosas actividades que permiten una aplicación inmediata y sensata de las capacidades básicas.

30 Gentiles jirafas

OBJETIVO   Reconocer formas geométricas, seguir instrucciones, aprender el sonido de letras.

MATERIALES   Engrudo, lápices, cartulina amarilla de 24 × 30 cm (suficiente cantidad para recortar las partes de una jirafa por cada niño, y un modelo de la misma, que se tendrá hecho por anticipado).

Para que los niños consoliden el concepto de las formas geométricas conviene que usen algunas de ellas para confeccionar animales. Esta actividad puede combinarse con la enseñanza de letras y sonidos. Por ejemplo, la jirafa gentil ofrece una buena oportunidad para enriquecer la práctica del sonido de la J y la G, y para familiarizarse con el rectángulo.

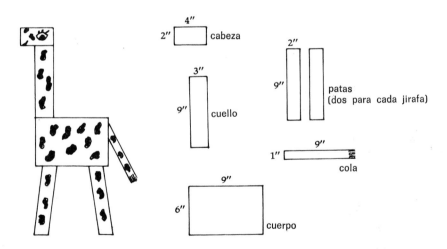

Recortar las piezas por anticipado. Escoger un niño para que distribuya entre los demás el rectángulo que forma la cabeza. Otros niños distribuirán las demás piezas. Una vez que los niños tengan todas las piezas de su jirafa, enseñarles un modelo ya montado (pegado en un cartón) e indicarles que ordenen las piezas de la misma manera. Para ello, han de pegarlas y luego, con lápices oscuros, formar las manchas y dibujar un ojo grande y hermoso en la cabeza. Antes de pegar la cola, se practican varios cortes en un extremo, para dar la sensación de un mechón de pelo.

Pepe Pingüino

Hermano Hipopótamo

Zacarías Cebra

Luis Elefante

Benito Ballena

31 Figuras recortables para viajar

OBJETIVO   Reforzar el reconocimiento de las formas geométricas, desarrollar los músculos pequeños y profundizar en estudios sociales.

MATERIALES   Hojas con la silueta de los vehículos estudiados en
la clase dedicada a los medios de transporte (un
vehículo en cada hoja, y varias de éstas para cada
niño), cartulina de 24 × 30 cm (dos hojas para cada
uno), lápices de color y grapadora.

Esta actividad sirve para combinar el repaso de las formas
geométricas con el estudio de los medios de transporte. Dar a
cada niño un dibujo (copia) de cada vehículo y comentarles acerca
de sus componentes, constituidos por formas geométricas. Hacer
observaciones sobre las formas distintas que los niños puedan
descubrir en cada dibujo. Pedirles que coloreen las figuras y que
las guarden hasta que concluyan el ejercicio sobre transportes.
Luego, pueden conservarlas en una carpeta.

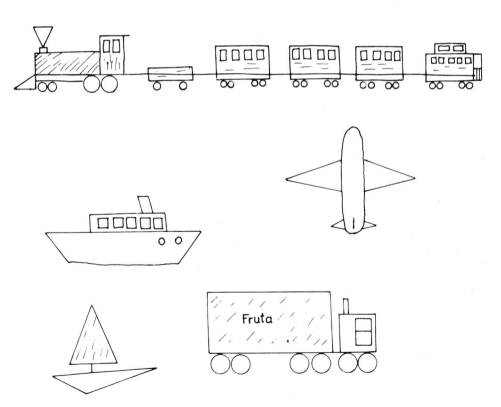

Para hacer las carpetas se le da a cada niño dos hojas de cartón de colores y se les explica que deberán guardar en ellas todos los dibujos de vehículos, procurando siempre colocarlas en sentido vertical. Una vez que han colocado los dibujos entre las hojas de cartón, se pueden fijar mediante dos o tres grapas en el margen izquierdo.

Entre otros medios de transporte, pueden ilustrarse los siguientes: autobuses, coches, bicicletas, motocicletas, patines de ruedas ,caballos, tractores, trineos, patines para hielo y los pies humanos.

32 Montajes de papel de color

OBJETIVO   Reconocer los colores y desarrollar los músculos pequeños.

MATERIALES   Una hoja de papel de dibujo de 30 × 40 cm para cada niño, tijeras, engrudo, revistas y catálogos con figuras a todo color, y crayones para el maestro.

Al hacer que los niños realicen montajes de figuritas de colores, se logra, al mismo tiempo, reforzar su conocimiento de los colores y desarrollar su habilidad manual.

Utilizando lápices de cada color, se escriben los nombres de los colores en hojas de papel de dibujo, usando un color en cada hoja y dando una de éstas a cada niño. Explicarles que la palabra escrita en la parte superior de la hoja es el nombre del color que cada uno ha de buscar. El niño tiene que recortar y pegar en la hoja algunas imágenes de ese color.

Conviene tener un surtido de materiales para formar montajes con figuras de diversos colores, así como un muestrario de esos colores, con el nombre de cada uno escrito a su lado. Así, los niños podrán repetir más veces esta actividad. Un ejercicio más avanzado consiste en pedirles que escojan un color y escriban el nombre de éste en la parte superior de la hoja, antes de empezar a recortar y pegar las figuras.

33 Clasificación por colores

OBJETIVO   Reconocer los colores y desarrollar la discriminación visual.

MATERIALES   Dos juegos de tarjetas de colores.

Formar dos juegos de cartulinas de colores de 20 × 30 cm. Cada juego debe estar compuesto por una tarjeta de cada uno de los nueve colores básicos (rojo, verde, azul, marrón, amarillo, naranja, púrpura, blanco y negro). En cada tarjeta se escribe el nombre del color correspondiente, con rotulador negro.

Desplegar las tarjetas sobre una mesa. Señalar un color y preguntar si alguno de los niños es capaz de hallar otra tarjeta del mismo color en el segundo juego. Repetir esta actividad con distintos colores, hasta que los niños entiendan lo que deben hacer. Preguntar si alguno es capaz de igualar todas las tarjetas por colores. El que lo haga correctamente, puede jugar a ser el maestro. Darle el primer juego de tarjetas de colores; el niño pedirá a un compañero que busque la tarjeta del mismo color en el segundo.

Si algún niño experimenta dificultades, se le ofrece ayuda y se le pide que lo practique individualmente, con el maestro o con un niño más capacitado, en otros momentos del día.

34 Clasificación por formas

OBJETIVO   Reconocer formas geométricas y desarrollar la discriminación visual.

MATERIALES   Dos juegos de tarjetas de diversas formas.

Confeccionar con cartulina dos juegos de tarjetas de 10 × 20 centímetros, en el que aparezcan pintadas o dibujadas las formas geométricas básicas. Dar una explicación y jugar como en la Actividad 33.

35 Clasificación por números y letras

OBJETIVO   Reconocer los números y las letras, y desarrollar la discriminación visual.

MATERIALES   Dos juegos de tarjetas con letras y números.

Con tarjetas de archivador de 10 × 20 cm, confeccionar dos juegos análogos de números y otros dos de letras. La cantidad de tarjetas por cada juego se fija al arbitrio del maestro. Con un rotulador de color negro, se agiliza el trabajo de preparar los juegos de fichas.

Una vez que los niños dominan plenamente el juego de clasificar colores y formas (Actividades 33 y 34), realizar otro similar para enseñarles las letras y los números.

36 Clasificación por tamaños

OBJETIVO   Desarrollar la discriminación visual y el pensamiento cuantitativo.

MATERIALES   Por lo menos, seis pares de objetos que sean iguales en todo, menos en el tamaño, una caja grande y otra pequeña del mismo producto, una cuchara de sopa y una de café, dos ejemplares del mismo libro, uno encuadernado en cartón y otro en rústica, un plato y un platito de café, un lápiz grande y otro pequeño.

Exhibir ante la clase dos objetos de características semejantes y preguntar cuál es el más pequeño. Enseñar los conceptos de mayor y menor, y pedir a algún niño que coloque en un extremo de la mesa todos los objetos pequeños, mientras que a otro se le pide que coloque los grandes en el otro extremo. Este tipo

de actividad permite fijar el vocabulario necesario para el razonamiento cuantitativo que será necesario en el futuro para desarrollar los conceptos matemáticos.

37 Figuras aplastadas

OBJETIVO   Reconocer las formas geométricas y desarrollar la discriminación visual.

MATERIALES   Lápiz y papel para cada niño.

Para reforzar el conocimiento de las formas geométricas, dar a cada niño un lápiz y una hoja de papel de dibujo. Dibujar un rectángulo en el encerado y mostrar sus características. Ordenar a los niños que dibujen uno en sus papeles.

A continuación, el maestro les indica: «Ahora aplastaré este rectángulo». Entonces, debajo del primero, dibuja otro rectángulo alargado en sentido horizontal. Preguntar a los niños si el rectángulo «aplastado» es, a pesar de todo, un rectángulo. Por ejemplo: «¿Tiene cuatro esquinas?», etc.

Después, ordenar a los niños que dibujen rectángulos aplastados debajo de los primeros que han dibujado. Hay que pedirles que pongan especial cuidado en que estos segundos tengan también cuatro esquinas, como el del maestro.

Una vez que han captado la idea, se les ordena que dibujen: un rectángulo alto, uno «grueso», uno «delgado», con todas las variantes que puedan pensarse.

La clase concluye con la petición de que los niños que señalen los rectángulos que haya en el aula; libros, mesas, ventanas, encerado.

38 Buscar al señor Diferente

OBJETIVO   Desarrollar la discriminación visual.

MATERIALES   Media docena de tiras de cartulina (10 × 25 cm) en cada una de las cuales hay series de seis objetos, uno de los cuales no guarda relación con los demás (ver ilustración), o bien copias de hojas (una para cada niño), que tengan de seis a diez series de objetos, uno diferente en cada una.

Confeccionar un juego de tiras que pueda guardarse en una cartera o en el anaquel del encerado, o preparar varias hojas iguales que puedan distribuirse entre los niños para que practiquen individualmente. En cada una se dibuja una serie de figuras, todas iguales, con una sola excepción (en las hojas pueden hacerse varias series). La excepción es el «señor Diferente». Pedir a los niños que localicen a «don Diferente» y explicarles en qué difiere de los demás elementos de la serie correspondiente. Si la actividad se realiza con una serie de hojas distribuidas entre todos, indicarles que encierren en un círculo la figura que desentona en cada serie.

39 ¿Cuántos peces?

OBJETIVO Reconocer los números y aprender a contar.

MATERIALES Cartulina para recortar figuras de peces y para confeccionar rótulos en el encerado o en un papel.

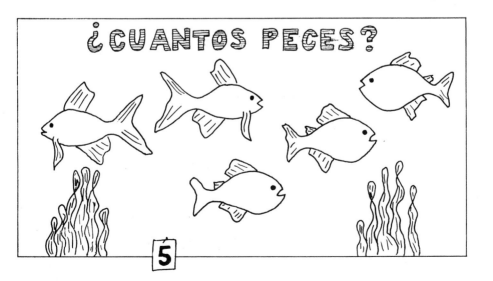

Para aprender a contar y enseñar los números a los niños, dibujar una pecera en el encerado o en un panel. El primer día, poner en ella un pez y ordenar a los niños que lo cuenten.

Se añaden uno o dos peces cada día, y se cuentan. Pedir a un niño que haga el recuento y diga si hay algún pez más en la pecera.

VARIACIÓN

Con rotulador negro, se hace un juego de números en trozos de papel blanco para dibujo. Una vez contados, los peces cada día, se enseña a los niños a escoger el trozo de papel en que figure el número igual al total, y uno de los niños lo prenderá con una chincheta en la parte inferior de la pecera.

Cuando se haya llegado a la suma de diez peces (o la cantidad que se desee), se quitan todos y se vuelve a empezar.

40 Comparación de números

OBJETIVO   Comprender los números y desarrollar el pensamiento cuantitativo.

MATERIALES   Variados.

Hay muchas maneras de ilustrar el empleo de los números. Las siguientes actividades resultan fructíferas y agradables a la vez para los niños.

VARIACIÓN
41 Figuras de paño

Los juegos de figuras de paño pueden comprarse o confeccionarse, a base de figuras geométricas sencillas. Fijar un juego de

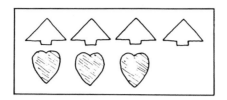

símbolos en un mural, seguido de otro juego, cuyo símbolo y cantidad sean diferentes. La pregunta es: «¿Hay tantos árboles como corazones?»

Una vez captada la idea de la comparación cuantitativa, se pide a varios de los niños que fijen en el mural series de símbolos y formulen las preguntas congruentes. Un ejercicio posterior es exponer más de dos series de cada vez.

VARIACIÓN
42 Lecciones con objetos reales

Establecer comparaciones entre diversas series de objetos reales, tales como sillas, mesas, libros, tizas, lápices y juguetes.

VARIACIÓN
43 Series de niños

Alinear a un grupo de niños en un lado de la clase y a un grupo de niñas en el lado opuesto. Calcular el número de que consta cada grupo y pedir a los niños que comparen ambas cantidades.

VARIACIÓN
44 Comparaciones con ayuda de acertijos

Pueden idearse absurdos acertijos basados en comparaciones, para que los niños los resuelvan, y asimismo, pedirles que también ellos inventen otros acertijos.

Por ejemplo: «¿Qué es mayor en cantidad, un elefante o diez ratones?», y «¿Qué es mayor en peso?»

45 Cuatro sobre el suelo

OBJETIVO Reconocer los números y desarrollar la musculatura.

MATERIALES Tiza y esparadrapo.

Puede jugarse a una serie de juegos entretenidos, simplemente marcando en el suelo una tabla de números. Para ello, se delimita con esparadrapo un sector dividido en cuadros. En cada cuadro se dibuja un número con tiza, sin seguir el orden correlativo. El tamaño y la forma de la tabla dependerán del espacio de que se disponga en la clase.

1	6	8
7	2	5
12	4	9
11	10	3

5	3	6	2	9
4	8	1	10	7

	2	
3	1	9
10	4	11
8	7	5
	6	

46 VARIACIÓN
Carrera de números

Dos niños se preparan para cuando el maestro diga un número. Entonces, ambos corren hacia el cuadrado en que esté escrito. El ganador (o sea el primero que llega) puede apuntarse un tanto o bien seguir en el juego hasta que un oponente le derrote. La carrera consistirá en correr, deslizarse o saltar hacia el número.

VARIACIÓN
47 Lanzamiento al azar

Escoger a un niño, que deberá ponerse de espaldas al área de juego —también puede dividirse la clase en equipos, cuyos representantes se turnarán en esta actividad—, dar al niño un saquito de garbanzos o judías secas para que lo lance hacia atrás, al azar. Luego, se da la vuelta y canta el número en el cual haya caído el saquito. Si éste ha caído sobre una línea o un ángulo, el alumno deberá cantar todos los números afectados. El niño, o su grupo, recibe un punto por cada identificación correcta.

VARIACIÓN
48 Lanzamiento selectivo

El niño que juega se coloca, sosteniendo el saquito de garbanzos, mirando al cuadrado dibujado en el suelo. El maestro, u otro niño, canta un número, sobre el cual el primero arrojará el saquito. Si acierta en el tiro, gana un punto. Luego el turno pasa a otro niño.

VARIACIÓN
49 El escondite

Todos los niños menos uno, que es el elegido, cierran los ojos. Entonces, aquél va hacia el cuadrado dibujado en el suelo y se sienta sobre un número o lo cubre con las manos. Los demás niños abren los ojos, examinan el cuadrado y tratan de averiguar cuál es el número cubierto. Si aciertan, toma el turno otro elegido. Si nadie adivina, sigue en juego el mismo elegido.

VARIACIÓN
50 Subir y bajar

Por turnos, los niños van saltando hacia los números, siguiendo una secuencia correlativa, primero de menor a mayor y luego a la inversa. El que haga todo el recorrido sin equivocaciones es el ganador. Los vencedores serán aplaudidos por la clase, o recibirán algún premio a modo de pequeña recompensa.

51 Símbolos y números

OBJETIVO Comprender los números y desarrollar el pensamiento cuantitativo.

MATERIALES Treinta tarjetas (blancas) de 10 × 20 cm y rotuladores de colores variados.

Hacer dos juegos de diez tarjetas cada uno, dibujando en cada una un símbolo que represente los números del 1 al 10 (una estrella, dos pelotas, tres árboles, cuatro flores, cinco triángulos, seis botes, etc.). Los juegos no tienen que coincidir necesariamente, y se usa un símbolo distinto para cada uno. También se hace otro juego de tarjetas, cada una con los números del 1 al 10.

El trabajo de los niños consiste en juntar las tarjetas que contengan los mismos valores numerales, esto es, tres botes con tres

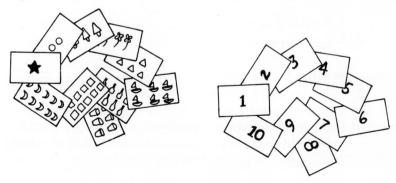

flores y con el número 3. O también, se les puede pedir que busquen la tarjeta que indique el número tres y la junten a las que ostenten los símbolos que representen esa cifra.

VARIACIONES

Este juego puede utilizarse con motivos de las Navidades, empleando tarjetas que contengan imágenes alusivas a esas fiestas. También es factible recortar ilustraciones interesantes de revistas y catálogos, y pegarlos en las tarjetas. Estas además, pueden plastificarse para conservar este material didáctico durante más tiempo.

52 ¿Adivinas?

OBJETIVO Desarrollar la memoria y la percepción visual.

MATERIALES Un proyector de espejo, una pantalla (o una pared blanca) y diversos objetos pequeños, tales como un lapicero, una tiza, un crayon, una llave, un anillo y figuras de papel recortadas.

Sentar a los niños frente a una pantalla o pared blanca y colocar dos o tres objetos en el proyector. Los niños deberán contarlos. Apagar el proyector, y añadir o quitar un objeto; encender de nuevo y hacer que los niños piensen si se ha añadido o quitado algún objeto.

A medida que los niños aumenten su nivel de comprensión, pueden añadirse o quitarse dos o tres objetos de cada vez.

53 Contar con dados grandes

OBJETIVO Desarrollar el pensamiento cuantitativo, reforzar conceptos matemáticos y aprovechar el tiempo de espera.

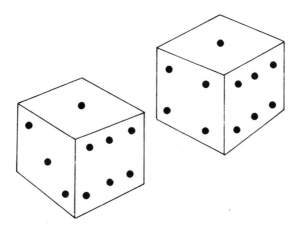

MATERIALES Cartón, cinta adhesiva, rotulador.

Confeccionar algunos dados de cartón duro, de gran tamaño, o bien pintar dos cubos macizos de madera. Tienen que ser lo bastante grandes para que los niños puedan verlos claramente, pero no tanto para que resulten incómodos de manejar (unos 15 cm de arista).

Exhibir dos dados juntos y hacer que los niños cuenten los puntos que ven en ambos. Invertirlos y repetir la operación de contar. El ejercicio se reitera hasta que, por ejemplo, asimilen la idea de que 2 más 3 son 5, y 3 más 2 son 5 también.

Esta actividad está especialmente indicada para los minutos finales de la clase y para emplear el tiempo de espera de una visita y siempre que se disponga de unos minutos libres.

54 Tiras matemáticas de cinta adhesiva

OBJETIVO Reforzar la noción de suma y resta.

MATERIALES Reglas (una para cada niño) revestidas de cinta adhesiva con el aglutinante hacia el exterior (se fijan a las reglas con tiritas o engrudo) y doce pajitas de beber para cada niño.

Dar a cada niño una regla recubierta de cinta adhesiva y doce pajitas de beber, y decirles que peguen éstas a la regla, dejando unos dos dedos de distancia entre sí.

Una vez hecho esto, empieza la clase de matemáticas. Por ejemplo, el maestro escribe 1 + 1 en el encerado, y enseña a los niños que la primera cifra indica cuántas pajitas deben retirar primero de la cinta, el signo *más* (+) significa que tienen que seguir quitando pajitas, y el segundo número, la cantidad que deben retirar ahora. Una vez que los niños lo han hecho, se les pregunta: «¿Cuántas pajitas tenéis en la mano? ... Muy bien: la solución de este problema es 2». Luego, vuelven a colocar las pajitas en la cinta.

A continuación se enseña la resta. Por ejemplo, se escribe 3 — 1 en la pizarra. Se explica que, también en este caso, el primer número indica cuántas pajitas hay que quitar primero de la cinta, que el signo menos (—) indica que hay que volver a colocar pajitas en ella, o quitarlas de las que tienen en la mano. El segundo número indica cuántas pajitas se vuelven a pegar en la cinta. En este caso concreto, se vuelve a pegar una sola y las pajitas que quedan en la mano son 2, que es la solución.

55 Tapas de botellas y cajas de mantequilla

OBJETIVO Reconocer los números y aprender a contar.

MATERIALES Diez o doce cajas vacías de mantequilla o margarina, rotulador negro y tapas de botellas en número suficiente para que se correspondan con los números escritos en las cajas.

Con diez o doce envases de margarina puede idearse un interesante juego de matemáticas. Con un rotulador, escribir un número en cada uno. Guardar algunas tapitas de botellas de cerveza u otra bebida, en cantidad suficiente para que se correspondan con los números escritos en todos los envases. Las tapitas se guardan en una caja distinta de la que contiene los envases.

Se explica a los niños que, en la hora dedicada a las actividades libres, pueden practicar un juego que comienza leyendo los números de las cajas. Primero leen el número de una de ellas y luego extraen tantas tapitas de botellas como sean necesarias, echándolas en la caja. Puede colgarse el cartel de Puedo hacerlo y, cuando un niño hace correctamente esta tarea, se inscribe su nombre en este palmarés.

56 Recorrer noviembre

OBJETIVO Desarrollar la discriminación visual, reconocer letras y desarrollar el concepto de tiempo.

MATERIALES Calendario, pizarra, tiza blanca y de color, hojas con el rótulo «Recorrer noviembre» y con las palabras *no, número, lunes, naranja, santos* y *nombre* (con un espacio para el del niño, después de esta última), escritas con grandes letras de imprenta bajo el encabezamiento (una hoja por alumno), y un crayon rojo para cada uno.

Escribir la palabra *noviembre* en la pizarra. Explicar que así se llama el mes que entra y que la palabra *noviembre* se utilizará para que aprendan a jugar a un juego llamado «Reconocer noviembre». En este momento arrancar la hoja de octubre del calendario y explicar brevemente para qué sirve éste.

Señalar, una por una, las letras de *noviembre* y explicar a los niños que todas las palabras se componen de letras. Algunas tienen muchas letras, y otras, muy pocas. Contar las letras de *noviembre* y, a modo de comparación, también las de *octubre*.

Resaltar el hecho de que *noviembre* empieza con *n*. Luego se vuelve a señalar a *octubre*. ¿Contiene alguna letra *n*? Dejar que los niños descubran que no.

Escribir el nombre del día de la semana en la pizarra. Explicar qué significa la palabra. «Hoy es lunes», por ejemplo, «¿Podéis encontrar una *n* en lunes?» Si en las hojas se han iniciado las palabras indicadas con mayúsculas, cabe explicar la diferencia entre mayúscula y minúscula.

Escribir en la pizarra los nombres de algunos de los niños y destacar los que contengan una *n* mediante un círculo hecho con tiza de color.

Una vez que los niños aprenden a encerrar en círculos las enes de cada palabra, se les entregan las hojas y los crayones rojos. Decirles que ahora están en condiciones de jugar a «Recorrer noviembre» sin ayuda ajena. El maestro lee las palabras de la lista y les pide que examinen con mucho cuidado todas las letras de cada palabra. Luego, les ordena que encierren en un círculo todas las las enes que encuentren, recordándoles que no deben olvidar las que puedan encontrar en medio o al final de palabra.

Cuando han terminado, se recogen y se revisan las hojas y luego se premia a los niños que hayan hecho la tarea correctamente. Para los que precisan ayuda, es necesario elaborar programas de trabajo que faciliten la superación de sus problemas.

57 Acertijos sobre el alfabeto

OBJETIVO Desarrollar la discriminación auditiva.

MATERIALES Ninguno.

Idear acertijos en los cuales la respuesta (la palabra final) contenga el sonido de la letra o letras que se estén enseñando. Leer la línea, sin la respuesta, y pedir a los niños que añadan la palabra que falta.

ll Tengo cuatro patas. Tú te sientas sobre mí.
Soy una .... *(silla)*

Soy de metal y abro las puertas.
Soy una .... *(llave)*

Doy calor para guisar la comida.
Soy una .... *(llama)*

Me recorres cuando vienes a la escuela.
Soy una .... *(calle)*

Hay muchas otras palabras que empiezan por *ll* o que contienen esta letra, como: *lluvia, lleno, fuelle, mejilla, callar, pellejo,* etcétera.

58 Acertijos alfabéticos

OBJETIVO Desarrollar la discriminación auditiva y el lenguaje.

MATERIALES Ninguno.

A los niños les encantan los acertijos, que pueden ser una buena ayuda para hacerles practicar la pronunciación de las letras que van aprendiendo. Una vez explicada cada letra, el maestro puede pedir a los alumnos que resuelvan algunos acertijos. Luego les pide que inventen ellos también algunos. Por ejemplo:

B   Soy redondo y sirvo para jugar.
¿Qué soy? *(balón)*

Soy pequeñito. No sé caminar y me ponen pañales.
¿Qué soy? *(bebé)*

Tengo dos cubiertas y albergo figuras y palabras.
¿Qué soy? *(libro)*

R   No soy rojo ni blanco.
¿Qué color soy? *(rosado)*

Tu mamá te dice que no camines por mí, para no ensuciarte los zapatos.
¿Qué soy? *(barro)*

Cuelgo de la pared y a la gente le gusta mirarme.
¿Qué soy? *(cuadro)*

59 Letras de tamaño humano

OBJETIVO   Desarrollar el lenguaje y las destrezas motoras, y reforzar el conocimiento de las letras.

MATERIALES   Papel de estraza o de periódico del largo de la estatura de un niño (suficientes trozos para todos ellos), pintura, moldes de pastelería y recipientes para pintura, pinceles, esponjas, crayones, rotuladores, tijeras, trozos de cartulina, cordel, papel pintado y pasta blanca.

En unos moldes de pastelería lisos, distribuir pintura de carteles (al agua) de diversos colores. Cada uno debe llenarse más o menos hasta la cuarta parte de su capacidad. En jarras u otros recipientes, poner pintura para aplicar con el pincel. Cerca de los moldes de pastelería, colocar varias esponjas para aplicar la pintura. También hay que tener a mano una caja llena de trozos de papel pintado, cordel y cartulina de colores.

Si la clase es numerosa, conviene dividirla en tres o cuatro grupos. Se asigna a cada grupo una letra elegida al azar.

Escoger un niño de cada grupo y pedirle que se eche de espaldas sobre un trozo de papel de estraza. Luego, otro niño traza su silueta en el papel, con un crayon o un rotulador. La operación se repite para cada niño, hasta tener las siluetas de todos los alumnos. Antes de recortar las figuras, los niños pintan las letras que los identifican, lo cual puede hacerse de la manera que deseen, con pintura o con cualquier otro material que tengan a mano.

Para identificar cada figura con una letra, recortarlas en cartulina de colores (de unos 15 cm de alto) y pegarlas en las siluetas de los niños, o dibujarlas directamente en ellas con un rotulador.

60 Aprender a mirar

OBJETIVO Desarrollar la discriminación visual.

MATERIALES Hojas de papel (una para cada niño) conteniendo un dibujo incompleto o que carezca de algún detalle.

Para que adquieran una mayor independencia y ayudarles a que agucen su capacidad de observación, distribuir entre los niños copias de dibujos incompletos, parecidas a los que aquí se muestran. Dar a cada niño un dibujo y pedir a la clase que las contemple con detenimiento. Decirles: «En todos estos dibujos hay algo mal hecho. ¿Podéis descubrir qué es? Observad el dibujo que tenéis. Dibujad la parte que le falte y luego, si queréis, lo podéis colorear.»

Estos dibujos incompletos pueden variarse y presentarse en distintos momentos. Más adelante, pueden usarse otros diseños más difíciles.

61 Lectura entretenida

OBJETIVO Desarrollar la disposición para la lectura y el concepto de lectura de izquierda derecha.

MATERIALES Un libro conocido.

Al enseñar a los niños a leer de izquierda a derecha, explicarles que así es como se escriben las palabras en nuestro idioma. Puede también decírseles que en otros países, como China, los niños aprenden a leer y escribir de arriba abajo, pero que nosotros aprendemos a leer las líneas de izquierda a derecha, pues, si no, las letras no tendrían sentido.

Escoger un pasaje de alguno de los libros predilectos de los niños. Pedirles entonces que escuchen con atención, pues el maestro les va a leer algo de derecha a izquierda. Así lo hace, en efecto: lee al revés dos o tres renglones y les pregunta a los niños qué tal les parece oír un cuento narrado así. Luego pregunta qué les ha parecido el cuento y de qué trataba.

62 Huellas digitales

OBJETIVO Desarrollar la discriminación visual y el lenguaje, y formarse una autoimagen positiva.

MATERIALES Media hoja de papel de dibujo de 30 × 40 cm por cada niño, una almohadilla para sellos, un crayon para cada niño y una bayeta húmeda para limpiarse los dedos.

Empezar informando a los niños de que cada uno de ellos tiene algo que no posee nadie más en el mundo. Ordenarles que alcen los pulgares. Y se les explica: «Todos tenemos un dedo pulgar, pero tu pulgar hace una cosa que nadie más puede hacer. Puede dejar la huella digital, que es sólo tuya y de nadie más. Ninguna otra persona tiene una huella digital exactamente igual a la tuya.»

Distribuir las hojas de papel y enseñarles a estampar la huella del pulgar con ayuda de la almohadilla. Hacer que comparen las impresiones que han dejado, para que vean que son diferentes. Pedirles luego que escriban su nombre en el papel con el crayon, con el fin de que se lleven la huella digital a casa y la muestren a sus padres.

63 Acciones y palabras

OBJETIVO Desarrollar la discriminación visual y la memoria.

MATERIALES Doce o quince láminas de revistas viejas, tiras de cartulina (de unos 7 × 25 cm) y cartón o cartulina para montar las láminas.

Recortar con antelación doce o quince láminas de libros o revistas viejas en que figuren personas dedicadas a diversas actividades. Montar cada una sobre un trozo de cartón o cartulina. Por otra parte, en tiras de cartulina de 7 × 25 cm escribir la palabra más sencilla que describa la acción que se realiza en cada lámina, como, *jugar, saltar, nadar, volar, correr, navegar* o *patinar.*

Las palabras se explican al mismo tiempo que se presentan las láminas. Por ejemplo, se exhibe una de éstas y se pregunta: «¿Qué están haciendo los niños de esta estampa?» Cuando la clase responde «Jugando», se le dice: «Sí, esta ilustración representa un juego. Y esta palabra significa "jugar".» Al decir esto se muestra la tira de cartulina correspondiente, que luego se coloca junto a la lámina.

Cada día se presentan dos o tres juegos de palabras y láminas. Repasar los juegos estudiados en las clases anteriores, haciendo que los niños emparejen las láminas con las palabras correspondientes. Cuando se ha terminado de explicar el juego, los niños pueden practicar esta actividad sin ayuda del maestro, en las horas dedicadas a la creación.

64 Juego de lectura fácil

OBJETIVO Reforzar las nociones de los números y las letras, y desarrollar la discriminación visual.

MATERIALES Encerado y tiza.

Se escribe en el encerado el mensaje en clave que se indica más abajo, y se explica que en el mismo hay una frase escondida. Pero, para poder leerla, primero hay que borrar todas las *equis*.

Llamar a un niño para que borre las de las línea superior, y continuar borrando, con un niño distinto cada vez, las equis de las líneas siguientes. Una vez eliminadas todas, preguntar si alguno puede leer el mensaje escrito.

n o x x x m u x x e s x x 3 x x p e x x n a
x x t o x x 2 x x p u e x x d e n x x l e x x e r x x m e.

¡ N O X X X M U X X E S X X
3 X X P E X X N A X X T O
X X 2 X X P U E X X D E N
X X L E X X E R X X M E !

65 Bolsas de letras

OBJETIVO Reconocer las letras y desarrollar el lenguaje.

MATERIALES Bolsas o sobres de papel y letras hechas de cartulina o pintadas con rotulador.

Tomar veintiocho bolsas o sobres de papel o plástico, cada una con una letra del alfabeto. Las letras pueden recortarse en cartulina de colores vivos y fijarse con grapas a cada bolsa, o bien dibujarse con rotulador.

Luego de presentar cada letra, fijar la bolsa correspondiente en el encerado o en un panel, dejándola abierta para poner cosas dentro. Se explica a los alumnos, por ejemplo, que ésta es la bolsa *b*. Se pregunta: «¿Qué cosas que empiecen con *b* podemos poner en la bolsa *b*?» Puede ser una bola, otra bolsa, un papel blanco, un lápiz bermellón, una goma de borrar.

Pedir a los niños que busquen en casa algunos objetos cuyos nombres se escriban con *b*; y también se les puede sugerir que revisen varios periódicos y revistas, pero que no lleven nada a la escuela sin consultarlo con sus padres.

Las bolsas pueden fijarse en la parte inferior del encerado o en un panel, para ahorrar espacio y tenerlas siempre a mano. Otra posibilidad es explicar primero un grupo de letras y, al cabo de algún tiempo, reemplazar el conjunto de bolsas por otro.

Dedicar unos minutos cada día a que los niños expliquen los objetos que hayan traído, con qué letra se escriben y en qué bolsa corresponde colocarlas.

66 Letras y más letras

OBJETIVO Desarrollar el lenguaje y la musculatura pequeña, y reconocer las letras.

MATERIALES Papel de estraza para las letras grandes, revistas viejas y tijeras para cada niño.

Otra buena idea, capaz de complementar o sustituir el juego de las «bolsas de letras» (actividad 65) consiste en recortar letras grandes en papel de estraza. Fijar una de ellas en el encerado o en un panel, y pedir a los niños que recorten en las revistas viejas algunas figuras de objetos cuyos nombres empiecen con dicha letra. Una vez que hayan encontrado las figuras adecuadas, fijarlas en la letra grande con pegamento o grapas.

67 Poner el cascabel al gato

OBJETIVO Reconocer letras, números o palabras.

MATERIALES Tarjetas escritas y un cascabel para cada alumno.

Este juego está destinado a poner un poco de interés en la enseñanza rutinaria del alfabeto o de las palabras. Los niños se sientan formando un círculo cuyo centro es el «*nido*». Cada uno debe identificar por turno la letra o palabra que el maestro exhiba en una tarjeta escrita. Si lo hace correctamente, se queda en el círculo, y se convierte en un *gato*. Si yerra, salta al centro del círculo y pasa a ser un *pájaro* en su *nido*. Al hacer esto, los gatos pueden también dar el nombre correcto de la letra o decir la palabra que aquél no pudo identificar.

Los pájaros tienen que estar en el nido hasta que el maestro haya dado la vuelta completa, mostrando a cada uno de los participantes una tarjeta escrita.

Concluida esta parte, los gatos que han quedado en el círculo, corren y maúllan al son de sus cascabeles en torno de los pájaros. Esto aterroriza a los pájaros, que baten las alas y chillan de pavor ante los gatos.

Este juego provoca tal excitación que a veces es preciso establecer ciertas limitaciones. Por ejemplo, cuando los gatos hayan dado una o dos vueltas alrededor del nido, tanto ellos como los pájaros vuelven a sus pupitres, y «duermen» hasta que el maestro haya contado hasta 100.

Cuando el tiempo lo permita, el juego puede practicarse al aire libre.

68 Letras perdidas

OBJETIVO   Reconocer letras y colores.

MATERIALES   Dibujos sencillos en los que figuren algunas letras
ocultas (cinco para cada uno) y crayones para todos.

A, U, B, N, X, H, V, L, O, D

U, L, X, V, H, J, E, A, C, M

O, C, D, Z, I, H, G, P

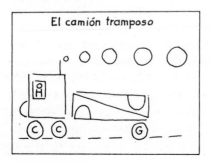

Hacer dibujos sencillos (uno por página) de trenes, casas, paisajes, muñecos, juguetes, etcétera, por el estilo de los que se ilustran en la página anterior.

Para repasar y mejor fijar el conocimiento de las letras, distribuir a cada niño un dibujo al día, esto es, cinco a la semana, y encargarles que busquen todas las letras ocultas que puedan encontrar y las encierren en un círculo. El primer día, se les enseña el procedimiento. Una vez que aprendan a hacer este juego, los niños se muestran ansiosos por averiguar cuántas letras perdidas son capaces de encontrar en cada estampa nueva. Para fijar el conocimiento de los colores, un día puede pedírseles que encierren las letras en un círculo verde, otro, con rojo, y así sucesivamente.

69 Seres extraños

OBJETIVO Desarrollar el lenguaje y los músculos pequeños.

MATERIALES Para cada niño, una hoja de papel de dibujo de 30 × 40 cm y un surtido de crayones.

Octubre, mes otoñal, se presenta especialmente para crear seres extraños, pero esta actividad puede realizarse en cualquier época del año. Los niños se sientan en círculo o en torno a una mesa. Cada uno recibe un crayon y una hoja de dibujo plegada transversalmente en tres partes, y se les advierte que no deben desplegarla.

Pedirles que dibujen la cabeza de un ser imaginario en el tercio superior de la hoja. Una vez que han concluido, invierten el papel, para que el siguiente no pueda ver la cabeza que han dibujado, y pasan la hoja al niño sentado a su izquierda. Todos dibujan entonces el cuerpo de otro ser, en el tercio medio de la hoja. (El primer niño puede dibujar un par de rayitas en el mismo pliegue, para indicar dónde encaja el cuello; el segundo, hace otras rayitas iguales para marcar dónde se insertan las piernas).

Terminado el cuerpo, se invierte de nuevo el papel y se repite la operación de pasar el dibujo al vecino de la izquierda. El tercero termina la figura dibujando las piernas y pies en el último tercio de la hoja.

Terminados los dibujos, pueden establecerse turnos para que los niños vayan desplegando las hojas. Cada uno mostrará su dibujo a los demás y tratará de inventar un cuento de miedo acerca de su dibujo.

70 Hacer un libro «elocuente»

OBJETIVO Desarrollar el lenguaje.

MATERIALES Album de cubiertas duras o cuadernos de hojas recambiables.

Los niños pequeños necesitan hablar y necesitan saber que a los otros les interesa lo que dicen.

Un libro «elocuente» es un instrumento capaz de promover el enriquecimiento del lenguaje. Su preparación exige tiempo y espíritu creador por parte del maestro, pero los resultados valen la pena, sobre todo porque el educador puede usarlo una y otra vez, con distintas hornadas de alumnos.

Cada libro «elocuente» o de sensaciones es único, toda vez que no hay regla fija para componerlo. Todo consiste en contar con una colección de láminas y otros materiales capaces de producir sensaciones que los niños puedan expresar. Pueden utilizarse grabados de calendarios y revistas, trozos de tela u otros materiales, o cualquier otra cosa que pueda inducir una respuesta.

El maestro presenta el libro a la clase, relatando algunas de las sensaciones que él mismo experimenta al recorrer las primeras páginas. Esto dará a los niños una idea de lo que se espera de ellos. Se les invita luego a expresar qué les sugiere determinada página o a explicar de qué manera una lámina les recuerda otra cosa distinta.

Tras haber terminado de usar el libro con el grupo, se deja en la biblioteca de la escuela o en un estante, para volver sobre él en las horas dedicadas a las actividades libres. Invítese a los niños a hojearlo por parejas o en grupos pequeños, para que puedan comunicar a otros sus sentimientos.

71 La hora de la comida

OBJETIVO Desarrollar el lenguaje y el hábito de una alimentación sana.

MATERIALES Láminas de platos montadas sobre cartulina y un plato de cartón o de plástico para cada niño.

Esta actividad constituye una oportunidad excelente de combinar el enriquecimiento del lenguaje con una charla acerca de los hábitos de nutrición más saludables. El uso de los platos de papel o de plástico añade a la tarea un ingrediente lúdico, que hace que la mayoría de los niños disfruten con ella.

Hay que hacerse con una colección bastante extensa de láminas de platos preparados. Dar a cada niño un plato de plástico. Las láminas se presentan acompañadas de oraciones completas;

por ejemplo: «Esto es una paella»; «Estos son unos huevos revueltos»; «Esta es una manzana», etc. Se les indica a los niños que, al practicar el juego, han de expresarse de la misma manera.

Se empieza por anunciar a los niños que el maestro pondrá en cada plato una lámina que representa una comida. Las demás estampas se disponen en el anaquel del encerado. Puede seguirse una exposición acerca de los buenos hábitos alimentarios. Luego, los niños irán escogiendo por turno varias láminas de alimentos, para componer un menú, aprovechando las que hayan quedado guardadas en el anaquel del encerado.

72 De pie, «señor Opuesto»

OBJETIVO Desarollar el lenguaje.

MATERIALES Ninguno.

Tras definir el concepto de *opuesto*, el maestro anuncia a los niños que pronunciará una palabra. El niño que sepa otra palabra que tenga el significado contrario, se pondrá de pie. Al que lo haga, se le pide que diga la palabra. Y se pregunta a la clase: «¿Ha dicho Pepe la palabra de significado opuesto?»

Los niños deberán contestar, usando frases completas, bien «Sí, *día* es lo opuesto de *noche*», o bien «No, *desayuno* no es lo opuesto de *noche*». Entonces, todos los niños que hayan respondido «*día*» pueden volver a sentarse. Explicar el sentido de la palabra *opuesto* a aquellos alumnos cuyas respuestas no hayan sido un verdadero antónimo, pero recordarles que podrán volver a intentarlo con la palabra siguiente.

Algunos antónimos posibles: *caliente/frío, arriba/abajo, derecha/izquierda, risa/llanto, andar/correr, alegre/triste, temprano/tarde, gordo/flaco, bueno/malo, dulce/amargo, grande/pequeño, corto/largo* y *bondadoso/cruel*.

73 Golpear, rascar, sacudir

OBJETIVO Desarrollar la percepción auditiva y la memoria.

MATERIALES Objetos para hacer ruido.

Reunir una serie de objetos que produzcan sonidos, como sonajeros, tijeras, sendas bolsas de canicas y de papel, una corneta, un pito, dos bastoncillos, un frasco de pipas, un libro (para recorrer las páginas con el pulgar) y tapaderas de cacerolas.

Presentar a la clase tres de estos objetos. Hacer ruido con ellos y dejar que los niños prueben a hacerlo ellos. Una vez familiarizados con los sonidos, pedirles que cierren todos los ojos; escoger un objeto, y hacer ruido con él. Preguntar entonces de qué objeto se trata. Después de responder los niños abren los ojos para ver si han acertado.

Dar otro ejemplo y repetir la pregunta. Incluir gradualmente otros objetos en el conjunto, advirtiendo siempre que se va a introducir algo nuevo. Si los niños no pueden adivinar de qué se trata, se les permite que abran los ojos para verlo. En este caso, se aparta el objeto y se les dice que se volverá a hacer la prueba más tarde.

VARIACIÓN
74 Tus propios sonidos

Otro día se puede trabajar con sonidos que los niños produzcan por sí mismos, como aplaudir, patear, chasquear la lengua, silbar, imitar los sonidos que emiten los animales y hablar en voz alta o baja. Luego se les hace cerrar los ojos y escuchar atentamente. A continuación, se les pide que traten de reproducir el sonido que ha escuchado.

75 Cajas perfumadas

OBJETIVO   Desarollar la percepción sensorial.

MATERIALES   Varios recipientes de plástico que contengan materiales que produzcan olores bien definidos.

Se aconseja, entre otros, los siguientes ingredientes: limón, pimienta, jabón, loción de afeitar, perfume, ajo, extracto de vainilla, pasta dentífrica, jalea de fresas, extracto de plátano, cebollas, tomillo, etcétera.

Durante los días siguientes a la presentación de la «caja perfumada», se dedica cierto tiempo diario a explicar la importancia del sentido del olfato. Los niños que deseen hacerlo, pueden traer de casa (con permiso de sus padres) los objetos más inusitados; luego podrán hacer circular sus «frascos aromáticos» entre sus compañeros, para que éstos adivinen qué hay dentro. Más tarde esas cosas se incorporan a la «caja perfumada». La colección no puede conservarse más de una semana.

VARIACIÓN

76 Cajas para tocar

La misma idea sirve para explicar el sentido del tacto. En cajas pequeñas poner muestras de materiales que produzcan diversas sensaciones táctiles. Pedir a los niños que los toquen y que expresen qué sienten en cada caso, explicando las diferencias. Es posible reunir muchos materiales «táctiles» como: papel de lija, palomitas de maíz, arena, sal, cabellos, trozos de ladrillo, lana, piel, papel de estaño arrugado, algodón en rama, cartón corrugado, etc.

77 Desfile de animales

OBJETIVO Desarrollar el lenguaje.

MATERIALES Animales de compañía y, para quienes no los tengan, papel de dibujo y crayones.

Se fija un día para celebrar un desfile de animales y se conciertan con los niños las normas y planes correspondientes.

Conviene fijar una hora apropiada para que los padres puedan llevar a los animalitos a la escuela para luego volver con ellos a casa: la primera hora de la mañana o la última de la tarde suelen ser las más convenientes. Se envía una circular a los padres rogándoles que colaboren en el traslado de los animales, e invitándoles a presenciar la clase.

Se recuerda a los alumnos que todo aquel que lleve su mascota a la escuela, podrá presentarla al resto de la clase. Los chicos presentarán a cada animalito por su nombre y harán otros comentarios. Pueden narrar anécdotas divertidas que les hayan ocurrido con el perro o el gato, o explicar cómo los cuidan.

Los niños que no puedan llevar sus animalitos a la escuela harán dibujos descriptivos de ellos. Al referirse a sus animales, enseñarán los dibujos que hayan hecho.

Los niños que no tengan en casa animales pueden hacer retratos ideales del que algún día quisieran tener, y expresar cómo creen que lo pasarían con él.

78 Carta para nosotros

OBJETIVO Desarrollar el lenguaje y las destrezas en estudios sociales.

MATERIALES Papel de carta, sobre, pluma y sello.

Es posible dar mayor interés a una clase de relaciones sociales acerca del correo, haciendo que los niños escriban (y echen)

ESCUELA NACIONAL
AULA 1
AVENIDA DE LA INFANCIA, 23
BARCELONA

Queridos:
   Hoy hemos escrito una carta dirigida a nosotros mismos. La hemos echado al correo para que el cartero nos la vuelva a entregar. Cuando la recibamos, miraremos el matasellos para ver qué oficina la ha tramitado.

Cariñosamente,
Nosotros

una carta para sí mismos. La nota puede ser más o menos similar al ejemplo que se muestra en el recuadro. Hay que subrayar el hecho de que, para enviarla, hay que ponerla en un sobre. Los sobres protegen las cartas y hacen que los mensajes sean privados. Cabe promover una discusión acerca de porqué esto tiene su importancia. Explicar cómo tiene que ser y porqué es necesario poner las cosas que habitualmente se ponen (remitente, nombre del destinatario, calle y número, ciudad, provincia, código postal).

Hablar acerca del coste del sello de correos y de la clase de cosas que se pagan con las tarifas postales (sueldos de los empleados de Correos, camiones de transporte, gasolina y demás equipos y medios de transporte).

Organizar un paseo hasta la oficina de Correos o hasta un buzón, para echar la carta. Cuando llegue, analizar el aspecto que ahora tiene el sobre. «¿Qué le hizo Correos a nuestra carta?» «¿Tiene otro aspecto el sello?» «¿Qué nos indica la fecha del sobre?» «Ved que el nombre de la ciudad figura también en el sobre.» «¿En qué día la despachamos?» «¿En qué fecha fue matasellada? «¿Qué día es hoy?»

79 Cuadros con virutas de lápiz

OBJETIVO   Dar interés a las explicaciones de ecología y desarrollar las destrezas artísticas.

MATERIALES   Papel, virutas de lápiz y pasta blanca.

Para enriquecer una lección de ecología y proporcionar a los niños una interesante tarea artística, pueden hacerse cuadros con virutas de lápices. Para ello, habrá que guardar durante unos días las virutas acumuladas en el sacapuntas.

Explicar qué es la ecología y lo que significa vivir en un mundo en el cual cada criatura depende de las demás, y viceversa. Enseñar a los niños que importa preservar los recursos naturales y no desperdiciarlos. Una manera de logarlo consiste en encontrar utilidad para las cosas que habitualmente tiramos.

Presentar más tarde la actividad artística, diciendo: «Hoy le vamos a dar utilidad a una cosa que solemos arrojar a la basura. Vamos a hacer cuadros con virutas de lápiz.»

Dar a cada niño una hoja de papel de dibujo o cartulina de colores. Mediante la pasta blanca, harán dibujos básicos en las hojas. El maestro hará una demostración, para que los niños aprendan cuánta pasta, aproximadamente, deben usar (las rayas tendrán más o menos el ancho de un lápiz corriente).

Una vez concluidos los dibujos con pasta blanca, se les pide que retiren las manos. Entonces el maestro arroja o espolvorea unas virutas sobre cada hoja. Los niños dejarán reposar los dibujos unos minutos, sacuiéndolos para eliminar las virutas que no se hayan pegado, las cuales tirarán a la papelera.

80 ¿Qué voy a ser?

OBJETIVO Desarrollar las destrezas en estudios sociales y en el lenguaje, y formarse una autoimagen positiva.

MATERIALES Revistas viejas, papel de dibujo o de periódico, tijeras, pasta o cola y rotulador.

Forrar un tablero con un papel de color vivo, ilustrado con él título: «*¿Qué voy a ser?*»

Una clase que trate de los trabajos que realiza la gente puede fácilmente llevar a una charla acerca de las carreras que a los niños les gustaría seguir cuando fueran mayores. Las conversaciones de este tipo ayudan a forjar su autoimagen y ,al mismo tiempo, les dan una oportunidad más de usar el lenguaje, tan importante para la posterior capacidad de leer.

Cuando los niños hayan dispuesto de cierto tiempo para pensar acerca de las profesiones y de lo que querrían llegar a ser, se les pide que hojeen algunas revistas viejas, para ver si alguno de ellos encuentra algún grabado (o varios, si es que a alguien le atraen varias actividades) que represente su carrera. Quienes los encuentren, los recortarán y pegarán en hojas de papel de dibujo o de periódico. El maestro les pedirá que inventen historias en relación con las estampas recortadas, y las escribirá al pie.

VARIACIÓN

81 El mural de las profesiones

OBJETIVO Desarrollar el lenguaje y reconocer el alfabeto.

MATERIALES Letras del alfabeto hechas de cartulina de 12 × 15 centímetros y estampas de personas trabajando.

Preparar un mural con el siguiente título: «¿Qué voy a ser? De la A a la Z» y recortes de letras grandes, así como láminas de revistas que representen personas trabajando, éstas debajo de la inicial del nombre de su profesión.

Hacer una exposición de las diversas profesiones, señalando las letras colocadas en el mural. Cada letra debe dar pie a una conversación acerca de las distintas profesiones y oficios enumerados debajo de ella, de suerte que pueden pasarse varios días hablando de estos temas. La rapidez o lentitud con que se avance en este terreno dependerá del mayor o menor interés que demuestren los alumnos.

Las posibilidades para escoger las estampas son muchas y variadas: *A*, actor, atleta, automovilista, abogado; *B*, barbero, bodeguero, bombero; *C*, carpintero, cerrajero, constructor; *D*, diputado, disecador, dibujante, dentista; *E*, editor, electricista; *F*, fabricante, futbolista, farmacéutico; *G*, gobernador, gerente; *H*, hotelero, herrero; *I*, ingeniero, intérprete; *J*, juez, jockey; *L*, labrador; *M*, modelo, minero, maestro; *N*, notario, nadador; *O*, ordenanza, organista; *P*, policía, pintor, pianista; *R*, redactor, realizador de televisión; *S*, secretario, senador, sastre; *T*, traumatólogo, torero, telefonista, trapecista; *U*, ujier; *V*, violinista, veterinario, vendedor; *X*, xilofonista; *Y*, yesero; *Z*, zapador, zapatero, zootécnico.

III.
DESARROLLO DE LAS DESTREZAS MOTORAS

En años recientes, los educadores han descubierto la necesidad de ayudar a los niños a desarrollar sus destrezas motoras, ya que la inmadurez en este aspecto puede provocar dificultades para aprender a leer. Antiguamente, los maestros solían limitar su esfuerzo a lo estrictamente necesario para realizar otras actividades, o a los juegos realizados fuera de horas de clase, para atender a las necesidades de desarrollo del sistema motor infantil. En la actualidad, los maestros comprenden que con eso no basta, y van introduciendo actividades cada vez mejor planificadas y tendentes a dar impulso a ese desarrollo, tanto en el aula como en el área de juegos.

Las ideas y actividades expuestas en el presente capítulo abarcan, desde los sencillos juegos cotidianos, hasta los métodos mucho más profundos. Se ha comprobado que todas ellas, además de resultar gratas a los niños, benefician específicamente al desarrollo de su capacidad motriz.

82 ¿Dónde tienes la nariz?

OBJETIVO Desarrollar la memoria, el vocabulario y las destrezas lingüísticas, y conceptualizar las partes del cuerpo.

MATERIALES Ninguno.

El maestro se sienta con los niños en un círculo y formula diversas preguntas que comienzan «¿Dónde tienes...?». Los niños tienen que poner una mano en la parte del cuerpo que el maestro mencione. Cuando tengan dificultad en encontrar alguna parte o ignorar el significado de la pregunta, se detiene el juego y se explica que el maestro está usando el nombre correcto de dicha parte, y les señala a cuál se refiere. Por ejemplo, muchos niños no saben dónde tienen las fosas nasales, pero sí conocen dónde está la nariz.

Son variadas las preguntas por formular: «¿Dónde tienes la barbilla?», «¿Dónde tienes la rodilla?», «¿Dónde tienes las cejas?», «¿Dónde tienes el codo?», «¿Dónde tienes la columna vertebral?», «¿Dónde tienes la espinilla?», «¿Dónde tienes el dedo índice?», «¿Dónde tienes la muñeca?», «¿Dónde tienes los párpados?», «¿Dónde tienes las fosas nasales?», «¿Dónde tienes el ombligo?», «¿Dónde tienes las orejas?», «¿Dónde tienes el tobillo?», «¿Dónde tienes los labios?», «¿Dónde tienes las uñas de las manos?», «¿Dónde tienes el corazón?», «¿Dónde tienes la garganta?».

Es posible repetir el juego varias veces, hasta que los niños se familiaricen con el nombre correcto de cada parte del cuerpo.

83 Montar el cuerpo humano

OBJETIVO Conceptualizar las partes del cuerpo y desarrollar el lenguaje.

MATERIALES Papel de estraza de 1,30 m de largo, aproximadamente, tijeras, crayones o pintura, cartón para montar las piezas y engrudo o cola.

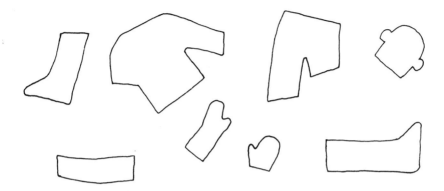

Para confeccionar un rompecabezas del cuerpo humano, hacer tumbar a un niño sobre una hoja larga de papel de estraza y dibujar en ella la silueta del cuerpo. Pintarla o hacerla colorear por los niños. Pegar con engrudo o cola sobre cartón o cartulina. Cortar las diversas partes del cuerpo tal como muestra el grabado.

El maestro y los niños se sientan formando un amplio círculo. Las partes cortadas se apilan en una mesa o silla al alcance de la mano. Luego, el maestro señala a un niño para que escoja una de dichas partes, con los ojos cerrados. Cuando lo ha hecho, abre los ojos, pone la pieza en medio del círculo y expresa: «Esto es una pierna (pie, cabeza, o lo que fuere)».

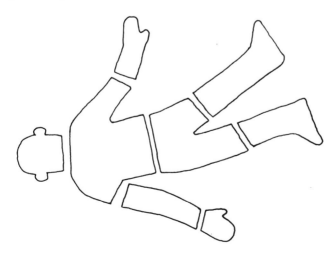

Luego, el niño señala a otro de sus compañeros para que, con los ojos cerrados, tome otra pieza del montón, que colocará en relación con la primera, diciendo lo que corresponda. Este segundo niño señala a un tercero, y así hasta terminar de montar el rompecabezas.

84 Ejercicios con monitor

OBJETIVO Desarrollar la musculatura.

MATERIALES Variados.

Conviene empezar cada jornada con unos minutos de ejercicio. Al principio, el guía será el propio maestro, para dar idea a los niños de lo que deba hacerse. Más adelante, puede escoger a un niño, que será el monitor del día. Los demás tendrán presente que deben hacer todo cuanto haga aquél.

Al concluir los ejercicios se escoge al que será monitor al día siguiente, a fin de que tenga tiempo de pensar qué ejercicios deseará realizar. Cabe indicar a los niños que consulten con sus padres para traer a clase ejercicios nuevos.

Algunos de los ejercicios que gustan a los niños son:

> tocarse los dedos de los pies;
> estirarse hacia el techo;
> correr sin moverse del sitio;
> tumbarse de espaldas y hacer la bicicleta;
> flexionar la cintura, adelante, atrás y a los lados;
> dejar rodar la cabeza moviendo el cuello;
> ejercitar las manos (cerrar el puño y abrirlo una y otra vez;
> bascular sobre las piernas y los pies;
> flexionar las rodillas;
> flexionar los brazos y las muñecas.

VARIACIONES

Pueden hacerse los ejercicios con música, para lo cual se usan grabaciones o se tocan piezas al piano

Dar a cada niño un balón ligero, o hacerles imitar los juegos que realizarían si tuvieran uno: botarlo, lanzarlo, volver a recogerlo.

Distribuir hojas de periódico entre los niños, todos los cuales imitarán los movimientos que realice el monitor.

Una sesión de baile. Poner un disco y dejar que los niños lo bailen según sus propios impulsos. Puede que imiten a sus padres o hermanos mayores, o que, simplemente, se muevan a compás.

Distribuir cuerdas de saltar entre los niños, o bien, con una soga larga, organizar una sesión de salto a la comba.

Con una varilla o pértiga pueden organizarse varios ejercicios: saltarla, pasar por encima sobre las puntas de los pies o caminando normalmente, etcétera.

85 Imitaciones

OBJETIVO Desarrollar la musculatura.

MATERIALES Ninguno.

Para esta actividad, los niños permanecerán de pie, dejando espacio suficiente para que no choquen entre sí. Organizar una sesión de imitaciones, por el estilo de las siguientes:

> «Ahora sois conejos. ¿Podéis saltar como conejos?»
> «Sois artistas de circo. ¿Podéis andar por la cuerda floja?»
> «Sois muñecos de cajitas de sorpresa. Alguien abre la tapa, ¡y vosotros saltáis fuera!»
> «Sois elefantes. ¿Podéis andar como elefantes?»
> «Sois jirafas. ¿Podéis estirar el cuello para comer las hojas de los árboles?»
> «Sois unas semillitas plantadas en la tierra. Ahora germináis, y crecéis, más altos, más y más altos.»
> «Sois unos globos. Alguien os hincha y luego os suelta. Flotáis en el aire, de acá para allá. Ahora vais a dar en una rama con espinas. En una de ella os pincháis. Empezáis a deshincharos, y el aire se os escapa, cada vez más rápido, hasta que caéis a tierra. completamente vacíos.»

86 Las marionetas

OBJETIVO Desarrollar la musculatura y seguir instrucciones.

MATERIALES Ninguno.

Para el desarrollo muscular es útil el juego de la marioneta, en el cual los niños imitan los movimientos del muñeco movido por cuerdas, siguiendo el ejemplo del maestro.

¡Mirad! Soy una marioneta.
El maestro llama la atención hacia su persona y relaja totalmente los músculos.
Tengo los brazos flojos y colgantes.
Mueve los brazos, como si estuviese descoyuntado.
También tengo flojas las piernas.
Mueve las piernas como si se doblasen.
La cabeza se me cae y me da vueltas,
Lo hace.
como un payaso descoyuntado.
Sigue haciendo el mismo movimiento.
Pero cuando me tiran de las cuerdas,
Endereza brazos y piernas y yergue la cabeza.
me pongo de pie, muy erguido.
Lo hace.
Entonces, la cabeza y los brazos me funcionan,
Se señala a sí mismo y extiende los brazos.
y ya no cuelgan.
Dice que «no» con la cabeza.

87 Estirarse y tocar

OBJETIVO Desarrollar la musculatura.

MATERIALES Tres o cuatro círculos de cartulina de 15 cm de diámetro, bramante o alambre para colgarlos y papel
de colores, si se desea decorarlos.

Hacer unos círculos de cartulina y colgarlos del techo o de
una pared. Pueden estar forrados de papel de colores; también
es posible usar globos en lugar de los círculos.

En cualquier caso, los círculos se cuelgan de manera que
queden justo fuera del alcance de los niños, unos más altos, otros
más bajos, de acuerdo con las respectivas estaturas.

El ejercicio consiste en que los niños traten de tocar los círculos o globos, estirándose todo lo posible. El maestro cuenta lentamente hasta tres, y al llegar a tres, los niños deben volver a su
posición inicial, con los brazos a los lados del cuerpo.

Concluida esta parte, otro grupo de niños viene a ocupar el
sitio de los primeros; repetir el ejercicio hasta que todos lo hayan
realizado.

88 Correr por la pared

OBJETIVO Desarrollar la musculatura.

MATERIALES Dos hojas de papel de estraza o de periódico de 1 m a 1,20 m de largo, cinta adhesiva y rotulador.

Dibujar cuatro o cinco siluetas de manos, alternando la derecha y la izquierda en ambas hojas de papel. Pegarlas a una pared, en sentido vertical, con una separación de unos 30 cm. Dividir la clase en tres equipos. Uno de ellos mira mientras los otros dos disputan el primer juego. Luego, el tercero juega con el ganador y el perdedor observa. Los equipos se disponen como para una carrera de relevos, situándose el primero de los corredores a un metro aproximadamente de la pared.

Cuando el maestro dé la señal, el primer jugador de cada equipo corre hacia la pared y, apoyando las manos sobre las siluetas, «camina» por la pared, arriba y abajo. Los demás pueden jalear a sus compañeros, diciendo «*ARRIBA*, uno, dos, tres, cuatro, cinco, *ABAJO*, seis, siete, ocho, nueve».

Cuando el niño está de nuevo «abajo», vuelve corriendo hacia sus compañeros, toca al siguiente corredor, y sigue hasta ponerse detrás del último. El segundo corredor va entonces hacia la pared y repite la operación, y así hasta que hayan corrido todos.

El equipo que primero termine de andar por la pared (cuando el último corredor regresa al grupo y toca al primero) es el ganador del juego.

89 Correr por el suelo

OBJETIVO Desarrollar la musculatura.

MATERIALES Huellas de pies hechas de cartulina (cinco para cada equipo).

Pegar en el suelo una serie de huellas de pies alternadas, hechas de cartulina, una serie para cada equipo. Se juega como en una carrera de relevos, aplicando las mismas normas de «Caminar por la pared» (Actividad 88).

VARIACIÓN
90 Facilidades

Usar tiza o cinta adhesiva para indicar las huellas de manos o de pies. Las marcas pueden ser simples círculos, cuadrados o equis. Para «Caminar por la pared» es posible el encerado.

91 ¿Lo imaginas?

OBJETIVO Desarrollar las musculatura pequeña.

MATERIALES Una hoja de papel de dibujo y lápices para cada niño.

Dar a cada niño una hoja de papel de dibujo y un lápiz, y decirles que se pongan los gorros de pensar, pues el juego en que van a participar es de imaginación.

Cuando todos están dispuestos, decirles que imaginen que van de visita a una tahona, a ver la fabricación de galletas. «Mirad esa máquina tan grande de fabricar galletas. Mirad qué bien hace esas hermosas galletas, todas iguales. Mirad cómo va llenando las bolsas.»

Entonces, cada niño dibujará una bolsa en su hoja y lo irá llenando de galletas. Hecho esto, sigue el juego imaginativo. El maestro dice: «¡Vaya! Mirad la máquina de las galletas. Se ha estropeado. No puede parar. ¡Dios mío! Está soltando galletas como loca. La bolsa ya está llena a rebosar. Seguid haciendo galletas en toda la hoja.»

A los niños les divertirá dibujar todas las galletas que puedan. Cuando casi haya llenado la hoja de galletas, se les explica que al fin ha venido el mecánico y ha conseguido componer la máquina. Ya pueden dejar de hacer galletas.

VARIACIÓN

En el dorso de la hoja, pueden ilustrar otra historia imaginaria, esta vez con una máquina de hacer bollos.

92 ¡Corre ya!

OBJETIVO Desarrollar la musculatura y conceptualizar las partes del cuerpo.

MATERIALES Dos sillas para cada equipo.

Dividir la clase en tres o cuatro equipos de relevos, con unos seis niños en cada uno. Cada equipo se alinea detrás de un punto de partida (silla 1) y debe correr hacia la meta (silla 2). La separación entre ambas será de tres o cuatro metros.

Con los niños alineados, el maestro explica en qué consiste el juego: «Os diré la parte del cuerpo que deberéis tocar. Tendréis que mantener una mano sobre ella mientras corréis. Cuando yo diga: ¡Corre ya!, iréis hasta la meta, la rodearéis y volveréis al punto de partida. Cuando el primer corredor toque la silla de este punto, sale el segundo corredor, y el primero sigue hasta el final de la fila y se sienta. El equipo ganador será el primero que logre que todos sus corredores terminen antes que los demás. Mientras corréis, no debéis quitar la mano de la parte del cuerpo que os diga. Recordad también que, cuando hayáis terminado la carrera, tenéis que ir a sentaros al final de la fila de vuestro equipo.»

A unos niños se les dirá que se toquen la cabeza, a otros la rodilla, a otros la muñeca, a otros el bolsillo, etcétera.

93 ¡Que viene el lobo!

OBJETIVO Desarrollar la musculatura.

MATERIALES Un árbol, un poste o una pared, que represente la madriguera del lobo.

Se trata de una actividad muy emocionante, que puede realizarse después de relatar la historia de «Los tres cerditos». Sirve para jugar tanto en el aula como a la intemperie.

El maestro escoge a un niño que hará de lobo, y que permanecerá de pie, contra una pared o un árbol, con la espalda vuelta hacia sus compañeros, en actitud de dormir.

Los demás niños serán los cerditos, y se colocarán entre unos tres y cinco metros de distancia del lobo. Cuando el maestro dé la orden de comenzar, tratarán de acercarse al lobo, arrastrándose, sin ser vistos. El lobo cuenta hasta diez, se despierta y grita: «¡Alto!» Los cerditos deben detenerse y quedarse muy quietecitos. Aquel a quien el lobo vea moverse, regresará al punto de partida. El primer niño que llega hasta el lobo será el que tome su lugar en el juego siguiente.

94 Vamos a brincar

OBJETIVO Desarrollar la musculatura y desarrollar el lenguaje.

MATERIALES Un candil, una lata o cualquier objeto de ese tamaño que represente un candelero.

Los niños se sientan en círculo y, en el centro, se pone la vela o el objeto que simbolice el candelero. Luego se les enseña la canción «Pepe el saltarín»:

> Pepe, saltarín,
> rápido y ligero,
> salta sobre el candelero.
> Pepe saltó mal,
> lo hizo al revés,
> y así se quemó los pies.

Luego, el maestro elige a un niño para que haga de Pepe. Mientras los demás niños repiten la cancioncilla, Pepe, de pie y erguido en la posición inicial, deberá saltar sobre el candelero.

A continuación, cuando los niños dicen el último verso, el maestro pregunta: «¿Pepe se quemó los pies?» Todos responden «no», si el salto fue bueno, o «sí» en el caso contrario.

Se escoge a otro «Pepe» y el juego se prolonga a voluntad.

95 Rastreo

OBJETIVO Desarrollar la musculatura pequeña.

MATERIALES Tijeras y copias de un diseño (cinco, para una semana de actividad, por cada niño).

Recortar papel es un excelente ejercicio para desarrollar la
musculatura de las manos. Cualquier actividad sirve para adquirir destreza para recortar, pero a veces conviene ajustarse a un

programa específico. El sencillo ejercicio que aquí proponemos dura una semana.

Antes de comenzar, el maestro prepara un juego de cinco diseños sencillos, similares a los que aquí proponemos.

Cada día de la semana, se distribuye entre los niños una copia del diseño del día y un par de tijeras. Se les enseña el modo cómo deben recortarlo, y se les dice que se trata de un juego para seguir pistas. Los niños deberán recortar el papel sin salirse de las líneas, que son las sendas, para no perderse en el bosque.

Esta actividad podría muy bien ser una manera de empezar a manejar las tijeras como útil escolar. Al mismo tiempo, la práctica diaria les ayudará a valerse por sí mismos.

VARIACIÓN
La papelera

Colocar en varios sitios unas papeleras y pedir a los niños que los papeles sobrantes de sus trabajos los reduzcan a una pelota y los arrojen al cesto más cercano. Esto les divierte y les ayuda a desarrollar su destreza manual.

VARIACIÓN
Sobres de recorte

Con un papel manila o una cartulina de unos 30 × 40 cm se hace un sobre para cada alumno, con su nombre respectivo, escrito con rotulador. Estos sobres se conservan clavados con chinchetas en un tablero, o bien se deja que los guarden los niños en sus pupitres. Cada día irán guardando en ellos los recortables de papel que realicen.

También se les permitirá que guarden en ellos otras cosas que recorten por su cuenta, como estampas de revistas o catálogos, y que se lleven los sobres a casa durante el fin de semana. Para explicar en qué consiste la actividad, se puede poner en cada sobre la circular siguiente, dirigida a los padres:

Muy señores míos:

Esta semana hemos realizado algunos ejercicios especiales para el desarrollo de la destreza manual. Recortar papel es una manera de desarrollar y fortalecer la musculatura pequeña, al tiempo que favorece la coordinación de la vista con las manos. Es un paso importante para aprender a escribir.

A ustedes quizá les interese que los niños sigan practicando en casa estos ejercicios. Les ruego hagan presente al niño que ya se le ha enseñado a usar la tijera correctamente y a valerse por sí mismo.

Atentamente,

96 Recortar y pegar

OBJETIVO   Desarrollar la musculatura pequeña y el lenguaje, y reconocer los números.

MATERIALES   Una hoja de papel de dibujo de 20 × 30 cm, recortes de cartulina, tijeras y pasta de pegar para cada niño.

Dar a cada alumno una hoja de papel de dibujo de 20 × 30 cm, con el nombre escrito en la parte superior. Ahora el maestro pondrá a disposición de los niños algunos trozos de cartulina de distintos colores. Indicarles que escojan tres colores distintos, que crean que combinan entre sí. Pedirles que recorten los trozos de cartulina, dándoles la forma que más les guste. A continuación, pegarán las figuras en la hoja de dibujo, tratando de lograr un efecto estético.

VARIACIÓN

97 Presentación de un número

Antes de empezar la actividad indicada, explicar a la clase un número: por ejemplo, el 3. Luego, durante la actividad, ofrecer a los niños diversas oportunidades de contar hasta tres (dedos, niñas, niños, sillas, colores, retazos de cartulina). Puede recordárseles la historia de «Los tres ositos» o de «Los tres cerditos». Si se dispone de tiempo, hasta es posible volver a contar las fábulas. Enseñarles a escribir el número, y explicarles cómo recortar y pegar. Cuando hayan concluido, escribirán el dígito 3 en sus hojas de dibujo.

VARIACIÓN
98 Enseñanzas de números

Se les hace poner un número, distinto para cada forma, con lápiz de color o rotulador.

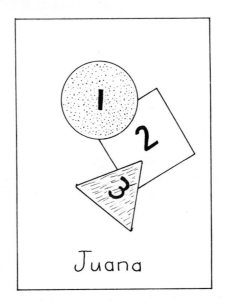

VARIACIÓN
99 Para asimilar los números

Antes de empezar la actividad, escribir una cifra en cada hoja. Ordenar al niño que observe el número, lo lea y luego recorte esas formas y las pegue en su papel.

VARIACIÓN
100 Para asimilar los colores

Dar a cada niño una hoja de papel de dibujo, que llevará escrito en el encabezamiento el nombre de un color. Explicar que ese día sólo podrá recortar y pegar cartulina de ese color. Pueden usarse también revistas o catálogos viejos, para que los niños recorten una gama de matices del mismo color.

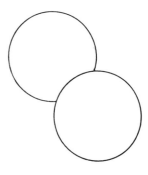

101 *VARIACIÓN*
Enseñanza de formas

En la parte superior de cada hoja escribir el nombre de una forma geométrica básica, explicando a los niños que ésa será la forma para ese día, y que sólo podrán recortar y pegar papeles que se adapten a ella.

102 Payasos de colores para recortar y pegar

OBJETIVO Desarrollar la musculatura pequeña y el sentido de la independencia.

MATERIALES Tijeras, pegamento, lápices y formas recortadas.

A medida que los niños van aprendiendo a escuchar y a atender las instrucciones recibidas, adquieren la capacidad de disfrutar de mayor independencia. Los payasos de colores para recortar y pegar son una actividad independiente que resulta muy apropiada como complemento, por ejemplo, de una clase acerca del circo o para decorar el local destinado a alguna actividad escolar.

Distribuir modelos (15 × 25 cm) similares al del grabado. Explicar a los niños que se trata de modelos de payasos para recortar. Indicarles que coloreen las distintas partes, a fin de repre-

sentar la indumentaria del payaso, y que luego las recorten y las peguen, para montar la figura. El maestro les mostrará, antes de comenzar, un payaso ya pintado y terminado, para que vean cómo debe quedar el trabajo una vez concluido. Les explicará, además, que pueden realizar el trabajo por sí mismos, sin limitaciones en cuanto a la elección de los colores.

Puede que algunos de los niños más pequeños precisen ayuda para recortar el material, pero hay que alentarles a que hagan todo cuanto puedan antes de pedir ayuda al maestro.

VARIACIÓN

Preparar un juego de modelos, en cartulina de 15 × 25 cm, tal como se ilustra más abajo. Facilitar un juego a cada niño, señalándoles que hay algunos de reserva, para el caso de que alguno se equivoque al colocar una pieza. Esta variación de la actividad implica más piezas que manipular, pero los resultados son más efectivos, y para los alumnos más adelantados, resulta mejor que la realización de los payasos pequeños.

103 Juegos con objetos arrojadizos

OBJETIVO Desarrollar la musculatura y la coordinación ojo-mano, y reforzar las nociones de los números.

MATERIALES Variados.

Para el desarrollo motor, pueden hacerse juegos con objetos arrojadizos, con puntuación por los aciertos para toda la clase. He aquí cinco buenos ejemplos:

1 Echar alfileres en un frasco o en un recipiente de cartón. Cada acierto es un tanto.

2 Arrojar pelotillas de papel en un cesto puesto a uno o dos metros de distancia. Cada acierto es, también, un tanto.

3 Arrojar bolitas de algodón en un recipiente.

4 Lanzar fichas de poker a una diana de papel.

5 Al aire libre, pueden arrojarse piedrecitas en un recipiente o pasar balones a través de un aro.

104 Saltacharcos

OBJETIVO Desarrollar la musculatura y el lenguaje.

MATERIALES Tres o cuatro aros de *hula-hula*, y tiza o cinta adhesiva.

Distribuir los aros por el suelo, en distintos puntos del aula, para que simbolicen charcos. Los niños saltan hacia ellos y se «zambullen», y el maestro les pide que inventen historias que tengan que ver con esta actividad. Por ejemplo: «Soy un pato y nado en los charcos»; «Estoy tratando de volver a casa en medio de un chubasco», o bien «Soy un elefante que busca cobijarse de la lluvia», etcétera.

VARIACIÓN
105 Dramatización de poemas

En muchos libros de poesía para niños pueden encontrarse fragmentos que reflejan ese ambiente especial de los días de lluvia. Se lee a la clase uno o varios de tales poemas y se les pide que representen algunos de los personajes que aparecen en el texto o que personifiquen ciertos elementos, como el viento, la lluvia, etc. El eternamente joven «Platero y Yo», o un fragmento de la obra de Gloria Fuertes puede proporcionar el tema idóneo para esta dramatización.

VARIACIÓN
106 Al desagüe

Este juego consiste en trazar en el suelo un círculo de tiza de unos 15 cm de diámetro (el desagüe del fregadero) y disponer en torno suyo un aro de *hula-hula*. Junto a cada aro se sitúa un niño. A la orden del maestro, tratarán de empujar los aros hacia el «desagüe», usando sólo los pies.

107 Pintura dactilar

OBJETIVO Desarrollar la musculatura y reforzar la noción de medida.

MATERIALES 1 cacerola de 1 litro, media taza de almidón diluido, una taza y media de agua hirviendo, media taza de escamas de jabón, una cucharada de glicerina (optativo) y colorantes culinarios.

Pintar con los dedos es un buen sistema para que los niños desarrollen la coordinación motriz. Esta actividad resulta aún más interesante si los niños ayudan a preparar la pintura. Esto les permite adquirir, además, la noción de las medidas.

FÓRMULA PARA LA PINTURA

Mezclar media taza de almidón en agua fría suficiente para que resulte una masa blanda. Añadir una taza y media de agua hirviendo. Añadir, sin dejar de revolver, media taza de escamas de jabón (no usar jabón en polvo), mientras la mezcla se conserve caliente. Si se quiere hacer la pintura más blanda, una vez fría, puede añadírsele una cucharada de glicerina. Incorporar los colores de repostería. Estas cantidades permiten hacer de veinte a treinta porciones pequeñas para los niños.

108 La hora de amasar

OBJETIVO Desarrollar la musculatura pequeña, la resolución de problemas y la noción de medida.

MATERIALES Un bol de tamaño grande, 2 tazas de harina, 1 taza de sal, 2 cucharadas de aceite, agua y colorante.

Mientras amasan harina, los niños incorporan casi imperceptiblemente la noción de las medidas. La receta es sencilla, y la masa resultante puede guardarse en un envase metálico, herméticamente cerrado, durante un par de semanas.

Una vez que ha explicado el uso de las tazas y las cucharas de medir, el maestro escribe la receta, con letra de imprenta, bien en la pizarra, bien en una hoja de papel fijada con chinchetas a la mesa de trabajo. Primero ordena a un niño que llene una taza de harina. Luego, otro niño añadirá la segunda. Seguir así, tratando de que el mayor número de ellos se ejercite en medir los ingredientes. Luego, todos los niños deben tener oportunidad de amasar la mezcla resultante.

Por último, se reparte la masa entre todos, de manera que cada uno le dé la forma que le plazca. Si la masa no alcanza para todos, se plantea el problema y se llega a una solución (hacer otra masa).

UN BOLLO PARA JUGAR

En un bol grande mezclar 2 tazas de harina, 1 taza de sal y 2 cucharadas de aceite. Añadir agua, hasta lograr la consistencia buscada. Añadir un chorrito de colorante. Amasar hasta que pueda usarse para modelar, esto es, hasta lograr la consistencia de la plastilina que se compra en las tiendas.

109 Flanes para pintar

OBJETIVO Desarrollar la musculatura pequeña y la percepción sensorial.

MATERIALES Dos o tres cajas de flan instantáneo (una caja por cada 8 o 10 niños), leche, platos y una hoja de papel para cada niño.

Esta manera de pintar con los dedos, divertida y suculenta, contribuye al desarrollo de su destreza manual. Preparar los flanes siguiendo las instrucciones del fabricante. Dar a cada niño un plato u otro recipiente (los envases de margarina y similares van muy bien), y poner en él una parte de la preparación. Dar también a cada niño una hoja grande de papel para dibujar. Enseñarles a mojar los dedos en la preparación y a dibujar una figura con el líquido. Una vez secas, pueden llevarse sus creaciones a casa. Luego no tendrán problemas para limpiarse las manos.

Para enseñar esta actividad puede recurrirse a la siguiente explicación. Los artistas no trabajan siempre con pintura al óleo

o mármol. A veces se valen de otros materiales que pudieran parecer inusitados. Por ejemplo, algunos trabajan con chatarra y desechos de metal, paja, hilo, arena, barro o piedra. Mencionar ejemplos que resulten familiares a los alumnos. A veces, esos experimentos dan resultado, otras no. Hoy, los niños también van a experimentar con un material nuevo. Van a tratar de pintar con flan líquido, y cuando hayan terminado, dirán si esa manera de hacerlo les gusta o no.

Esta actividad vale también para ilustrar una clase dedicada a los sentidos, pues en ella intervienen el gusto, el tacto, la vista y el olfato.

110 Atrapar al cartón

OBJETIVO   Desarrollar la musculatura pequeña y la coordinación ojo-mano.

MATERIALES   Una regla de 30 cm o una vara de igual medida; un envase de cartón para leche de un litro de capacidad, al que se le corta la parte superior, para que resulte como una caja abierta; un trozo de bramante de unos 35 cm y unas tijeras. Todos estos materiales se entregan a cada niño.

Es una actividad ideal para las clases donde la mayoría de los niños saben hacer nudos. Empezar, por ejemplo, con una conversación acerca de los juguetes: «¿Dónde compráis vuestros juguetes? ¿Os gusta entrar en las jugueterías para ver los mejores artículos? ¿Qué haríais si no existieran las jugueterías? ¿Os creéis capaces de fabricar un juguete?»

Proseguir diciéndoles que, antiguamente, no había jugueterías en muchas ciudades y pueblos y que, por ello, los niños se hacían sus juguetes e inventaban juegos con la ayuda de sus padres. Para ello, se valían de materiales en desuso que encontraban en su casa.

Hoy, ellos van a hacer un juego, empleando algunas cosas que encontrarán en la clase. Dar a cada niño una regla, un cartón de leche recortado y un trozo de cordel.

recortar la parte superior

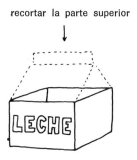

Primero, atarán un extremo del bramante a la regla o varilla (es preferible emplear esta última, si los niños han de llevarse luego el juguete a casa). Se hace el nudo aproximadamente a un tercio de la longitud de la varilla. Luego, con las tijeras o la punta de un lápiz practicarán un agujero en el centro del fondo del envase, por allí pasarán el cordel, haciendo un nudo en el extremo libre, para que el cartón no se suelte.

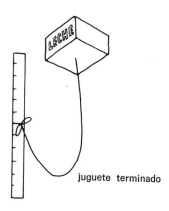

juguete terminado

El juego consiste en tomar la varilla por la parte más larga, lanzar el cartón hacia arriba y tratar de atraparlo con el otro extremo de la varilla.

111 Figuritas

OBJETIVO   Desarrollar la musculatura pequeña y reforzar el conocimiento del cuerpo.

MATERIALES   Revistas viejas y, para cada niño, tijeras, pegamento y una hoja de cartulina de color claro.

Explicar a los alumnos las partes del cuerpo humano: cada persona tiene una cabeza, un tronco, dos brazos, dos piernas, etcétera. Dar a cada niño una hoja de cartulina, y pedirles que hojeen las revistas y que cada uno recorte la cabeza de una persona y otras partes de un cuerpo humano de las otras láminas. Luego deberán formar los cuerpos, pegando las distintas partes en la hoja de cartulina.

Los divertidos resultados así obtenidos pueden exhibirse en un mural.

IV.
LAS ESTACIONES DEL AÑO

En este capítulo se incluyen más actividades que contribuyen a desarrollar las destrezas referidas hasta ahora, pero algunas de las que siguen, están relacionadas específicamente con distintos momentos del año escolar. Entre ellas se incluyen varias ideas para que los niños puedan confeccionar regalos propios de ciertas fechas especiales, o bien como simple práctica de las destrezas adquiridas.

EL OTOÑO Y LOS FANTASMAS

112 La extraña visita

OBJETIVO Desarrollar el lenguaje y el oído.

MATERIALES   Franela para recortar las partes de la «visita» (cabeza, 10 × 10 cm; tronco, 5 × 10 cm; brazos, 8 × 3 centímetros; cuerpo, 10 × 10 cm; caderas, 5 × 5 cm; piernas, 5 × 5 cm; manos, 3 × 8 cm; pies, 3 × 8 cm).

La siguiente leyenda escocesa puede servir, acompañada del trabajo manual indicado, para los objetivos expuestos arriba. El maestro irá contando la historia que sigue, y pegando al tablero o el encerado las partes de la «visita» a medida que las vaya nombrando. A la primera repetición del estribillo se interrumpe brevemente el juego, hasta que los niños se lo aprendan. Luego, se sigue con la narración, ayudando a los niños con el estribillo, si es necesario.

LA EXTRAÑA VISITA

Érase una vez una viejecita que vivía en el bosque, y deseaba que alguien la visitara. Mientras aguardaba, hilaba la lana.

Se sentaba a esperar,   *apoyar las manos en el regazo*
hila que te hila,   *rotación de las manos*
a ver quién podía llegar.

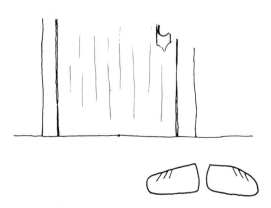

Por fin, una noche muy oscura, mientras la viejecita hilaba, oyó un golpe en la puerta. «Entre», dijo. Cri-i-i-c, chilló la puerta, y entraron dos grandes zapatos. La viejecita pensó: «Oh, qué extraños esos zapatos, tan grandes, tan grandes, sobre el suelo tan frío, tan frío; pero...»

Se repite el estribillo

Pronto oyó otro golpe y dijo: «Entre». La puerta hizo cri-i-ic y entraron dos piernas muy cortas, muy cortas, que se pusieron sobre los zapatos grandes, grandes, encima del suelo frío, frío; pero...

Se repite el estribillo

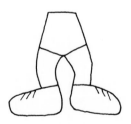

A poco oyó otro golpe y dijo: «Entre». La puerta hizo cri-i-ic y entraron unas caderas que se apoyaron en las piernas muy cortas, muy cortas, que estaban sobre los zapatos grandes, grandes, encima del suelo frío, frío; pero...

Se repite el estribillo

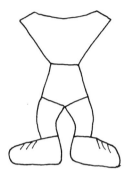

Y muy pronto oyó otro golpe, y dijo: «Entre». La puerta hizo cri-i-i-c, y entraron dos manos manotas, que se unieron a los brazos muy largo, muy largo, y la viejecita pensó: «Oh, qué extrañas esas manos manotas, en los brazos tan largos, tan largos, en los hombros anchos, anchos, del tronco que está sobre la cadera, sobre las piernas muy cortas, muy cortas, sobre los zapatos grandes, grandes, sobre el suelo frío, frío.» Pero...

Se repite el estribillo

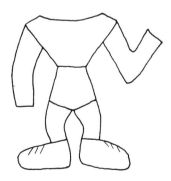

Y mientras hilaba oyó otro golpe, así que dijo: «Entre». Cri-i-i-c, hizo la puerta, y entraron de un salto dos brazos muy largos, muy largos, que se pusieron en los hombros anchos, anchos, del tronco que estaba sobre la cadera, sobre las piernas muy cortas, muy cortas, sobre los zapatos grandes, grandes, sobre el suelo frío, frío. Pero...

Se repite el estribillo

Y mientras miraba lo que ocurría, se oyó otro golpe, y dijo: «Entre». Cri-i-i-c hizo la puerta, y entró un tronco de hombros muy anchos, muy anchos, que se puso sobre las caderas, y la viejecita pensó: «Oh, qué extraño es ese cuerpo, sobre las caderas, sobre las piernas muy cortitas, muy cortas, sobre los zapatos grandes, grandes, sobre el suelo frío, frío...» Pero...

Se repite el estribillo

Al rato volvieron a llamar y la viejecita dijo: «Entre». Cri-i-i-c, chilló la puerta, y entró una cabeza redonda, redonda como una calabaza, que fue a ponerse encima del tronco de hombros anchos, anchos, de los brazos muy largos, muy largos, con unas manos manotas, sobre las caderas, sobre las piernas muy cortas, muy cortas, sobre los zapatos grandes, grandes, sobre el suelo frío, frío.

Entonces dijo la viejecita: «Oh, qué extraño es ver esa cabeza redonda, redonda, sobre esos hombros anchos, anchos, de brazos muy largos, muy largos, con manos manotas, en el tronco encima de las piernas muy cortas, muy cortas, sobre los zapatos, grandes, grandes, sobre el suelo frío, frío...»

Así que pregunto: «¿Por qué tienes esos pies tan grandes?»
Y el alguien respondió: «Del mucho andar, del mucho andar.»

Dijo ella: «¿Y esas piernas tan cortas, tan cortas?»
Y el alguien respondió: «De correr, y correr, y correr...»

Y ella preguntó: «¿Y esos hombros tan anchos, tan anchos?»
El alguien contestó: «Por cargar muchas escobas.»

Preguntó la viejecita: «¿Y esos brazos tan largos?»
Dijo el alguien: «De balancear el hacha.»

Preguntó la viejecita: «¿Y esas manos, manotas?»
La visita respondió: «De trillar trigo, de trillar trigo.»

Por fin inquirió la viejecita: «¿De dónde has sacado esa cabeza redonda, redonda, y por qué has venido?» Y el alguien contestó «¡*Por ti!*»

Y así acaba el cuento del hombre de la cabeza redonda, redonda y las manos manotas en los brazos muy largos, muy largos, de los hombros anchos, anchos, y las caderas sobre las piernas muy cortas, muy cortas, sobre los zapatos grandes, grandes, sobre el *suelo frío, frío.*

113 Dibujar fantasmas

OBJETIVO   Desarrollar la percepción visual, el vocabulario, la coordinación ojo-mano y los conceptos matemáticos.

MATERIALES   Cinco o seis modelos de fantasmas hechos de cartulina, una hoja de papel de dibujo de 24 × 30 cm, tijeras y un crayon negro para cada niño.

El maestro recorta en cartulina cinco o seis siluetas de fantasmas, que servirán de modelos. Da a cada niño una hoja de papel de dibujo de 24 × 30 cm y un lápiz. Los modelos se distribuyen por turnos. Cuando hayan terminado de dibujar los contornos, podrán recortar los fantasmas y, luego, dibujarles con el crayon un par de ojos lúgubres a cada uno.

Esto ofrece la oportunidad de enseñar lo que es un *par*: «¿Qué significa esta palabra? Todos tenemos un par de ojos. ¿Qué otras partes del cuerpo las tenemos pares?», etcétera.

114 Lo que el fantasma se llevó

OBJETIVO Desarrollar la memoria y la percepción visual, y reforzar las formas geométricas.

MATERIALES Ninguno.

Repasar la noción de círculo haciendo que los niños se sienten en corro. Elegir a uno para que haga de fantasma. Los demás cierran los ojos y el fantasma, silenciosamente, coge a uno de los niños del círculo y se lo lleva a un escondite que todos deben conocer.

Entonces, el fantasma emite un alarido de ultratumba, con lo cual los demás comprenden que han de abrir los ojos, para adivinar qué niño ha desaparecido. Si aciertan, el fantasma tiene que devolver al círculo al niño que se llevó. En caso contrario, el niño «secuestrado» no vuelve al círculo y prosigue el juego.

Se recomienda a los niños que, al abrir los ojos, examinen el círculo de compañeros con detenimiento, para adivinar quién falta y hacer que el fantasma lo devuelva.

Otra posibilidad es que el fantasma se lleve más de un niño cada vez, o bien cambiar de fantasma en cada turno.

115 Formar figuras de brujas con triángulos

OBJETIVO Desarrollar la percepción visual y reforzar el reco-cimiento de triángulos.

MATERIALES Una hoja de cartulina color naranja de 24 × 30 cm para cada niño, crayones, pegamento y triángulos de cartulina negra.

Estas brujitas pueden servir para introducir a repasar el concepto de triángulo. Previamente, se habrán recortado suficientes triángulos equiláteros en cartulina negra —el cuerpo de la bruja— de modo que cada niño reciba uno; un triángulo menor, que servirá como capirote, y dos triángulos pequeños, también para cada uno, con los cuales harán los pies. Estas piezas se distribuyen junto con una hoja de cartulina color naranja de 24 × 30 cm, sobre la cual se montará la figura.

Mostrar primero a los niños un modelo terminado, y explicarles que lo mejor es empezar por pegar el triángulo grande en el centro de la hoja para formar el cuerpo de la bruja. Luego dibujarán, a partir de ese cuerpo, una cabeza, dos brazos y dos piernas. Sobre la cabeza se pega el triángulo mediano, que representa el capirote. Los triángulos pequeños, que formar los zapatos, se pegan en los extremos de las piernas.

116 Máscaras de fantasía

OBJETIVO Desarrollar el pensamiento creativo.

MATERIALES Para cada niño, una bolsa de papel grande, piezas multicolores de cartulinas, tijeras, crayones y pegamento.

Para «celebrar» determinadas fiestas, como el Carnaval, a los niños les encantará ponerse estas máscaras hechas por ellos.

Recortar los lados de las bolsas de papel, aproximadamente hasta la mitad del largo. Con esto, la máscara cubrirá la cabeza

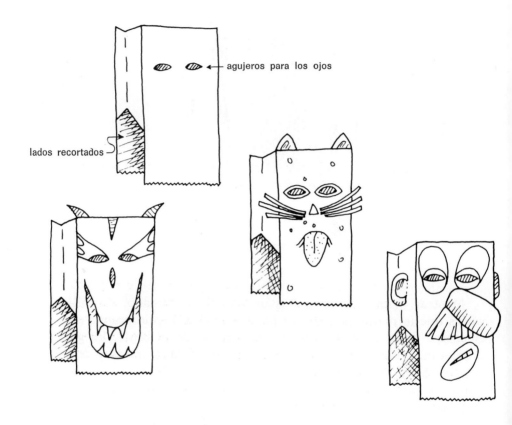

agujeros para los ojos

lados recortados

del niño, apoyándose en sus hombros. Encasquetar una bolsa a cada uno, para determinar la altura de los ojos, y recortar en ese punto dos agujeros. Una vez hecho esto, el niño puede empezar inmediatamente a decorar su máscara, empleando lápices de color, flecos de papel para imitar el pelo, y dibujarle cejas, pestañas, collares o lo que le dicte su fantasía.

EL 12 DE OCTUBRE

117 Mamá piel roja

OBJETIVO Enriquecer el vocabulario, aprender la noción de historia y desarrollar la musculatura pequeña.

MATERIALES Copias de un dibujo de un niño indio, crayones, tijeras, grapadora y papel manila (hojas de 20 × 30 centímetros y tiras de 4 × 40 cm).

Se reparten dibujos de un niño indio «piel roja», que puede copiarse en hojas de cartulina de 18 × 24 cm. Esta ilustración será coloreada por los niños, lo que dará lugar a una conversación acerca de cómo se viste a los bebés. La maestra explicará después que las indias de la América del Norte llevan a sus bebés colgados a la espalda.

Algunos maestros prefieren tener los objetos hechos anticipadamente. Así se gana tiempo, pero también puede pedirse a los niños que lo construyan, dependiendo del adelanto del grupo de que se trate y de que no resulte una tarea demasiado difícil. Personalmente, recomiendo que el maestro haga primero un modelo terminado y después resuelva si los niños podrán reproducirlo.

Primero se unen dos hojas de papel manila, asegurándolas con grapas, y redondeando las esquinas, como en el grabado. Se pliega hacia abajo la mitad superior de una de las hojas. Se inserta una tira de papel de manila a cada lado del sobre así confeccionado, entre el pliegue y la parte trasera, asegurando las tres capas con una grapa, de suerte que quede firme.

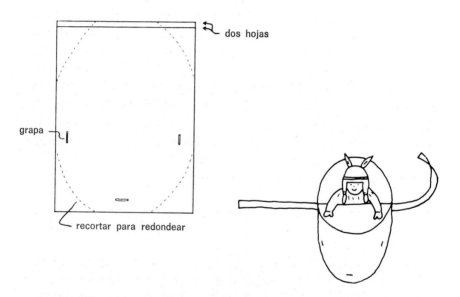

Con ocasión de alguna clase acerca de la variedad de civilizaciones del mundo, puede hacerse mención de los indios de América del Norte, explicándoles que las madres llevan a sus hijos en estas cestas, llamadas *papús*, colgadas a la espalda. Después de la explicación, se reparten los dibujos del niño indio para que los alumnos lo coloreen. Luego recortarán el dibujo y lo pondrán en el *papú* respectivo. Según el grado de dificultad que los niños pueden afrontar, armarán ellos mismos el *papú*, o el maestro los llevará ya hechos.

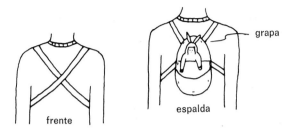

Hecho esto, los alumnos pueden ponerse los *papús* con los niños indios. Cabe aclarar que no sólo las madres, sino también los padres pieles rojas llevan así a sus hijos. Para que los lleven puestos, se pasan las tiras de papel manila bajo los brazos y sobre los hombros, y se grapa el otro extremo a la parte superior del *papú*. A los niños les encantará mirarse al espejo con el moisés indio colocado.

118 La colonización de América

OBJETIVO Desarrollar el lenguaje, el pensamiento creativo y el sentido artístico y aprender la noción de historia.

MATERIALES Cartulina (marrón para los tocados indios, multicolor para las plumas, negra para el sombrero masculino, amarilla para las hebillas, blanca para la toca femenina), tijeras, grapadora y pegamento.

Después del descubrimiento y la conquista de América, vino la colonización. Familias enteras de españoles se trasladaron al Nuevo Continente, para poblar ciudades recién fundadas y establecerse en las colonias. El maestro puede idear un juego a modo de representación, escogiendo un grupo de niños para que hagan de indios, los primeros pobladores de América, y otro que encarne a los europeos dispuestos a hacer allí su nueva vida.

DIADEMAS DE PLUMAS

Se unen con grapas dos tiras de cartulina marrón de 5 × 40 centímetros, formando una especie de vincha, que se ajusta a la medida de la cabeza del niño y se grapa en el sitio debido. Se cortan triángulos de cartulina de diversos colores, que serán las plumas, las que se aseguran a la vincha con sendas grapas.

 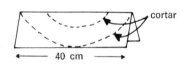

SOMBRERO MASCULINO

Una hoja de cartulina negra de 30 × 40 cm se pliega por la mitad en sentido longitudinal y se recorta un semicírculo, como en la ilustración, para hacer el ala. La copa se hace con otro rectángulo del mismo material, de 20 × 30 cm, que se enrolla de modo que se ajuste al agujero del ala, y luego se asegura a ésta con grapas o cinta adhesiva. Puede adornarse con una hebilla de cartulina amarilla.

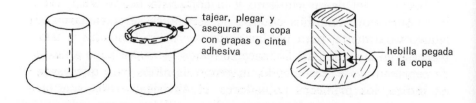

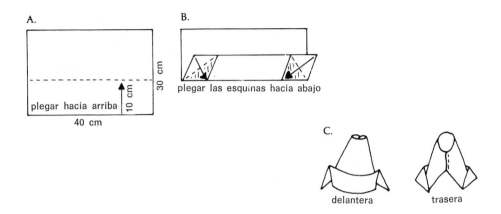

COFIA FEMENINA

En una hoja de cartulina blanca de 30 × 40 cm se hace un pliegue longitudinal, más o menos a un tercio del ancho. Las esquinas de este tercio se pliegan hacia abajo. Se enrolla hasta ajustar a la cabeza de la niña y se asegura con grapas.

119 El juego de la perdiz

OBJETIVO Desarrollar la musculatura infantil.

MATERIALES Ninguno.

Después de hablar a los niños de las perdices y otras aves que pueblan nuestros campos y de cómo el hombre ha sido cazador desde tiempos remotos, se puede poner en práctica este juego de la perdiz, bien en el área de recreo, bien en la clase, retirando antes los muebles que más estorben.

Los niños se dividen en tres grupos: dos serán cazadores; otros dos, perros; y el resto, perdices. Las «perdices» se colocan en un extremo del área de juego, y los cazadores con los «perros» se apostan en el otro extremo. Los cazadores comienzan a imitar el sonido característico que emiten las perdices, como si hiciesen de señuelo. Estas «salen del bosque» y comienzan a dirigirse lentamente hacia los cazadores, como atraídas por el falso señuelo. Cuando estén suficientemente cerca de los cazadores, éstos fingen disparar y los «perros» salen corriendo detrás de las presas, que procuran refugiarse de nuevo en la espesura (marcada por la raya que delimita el área de juego). Las perdices que son atrapadas se convierten en perros.

NAVIDADES

120 Inocentadas

OBJETIVO Desarrollar en lenguaje.

MATERIALES Ninguno.

Aunque el Día de los Inocentes cae durante las vacaciones de Navidad, al acercarse éstas se pueden hacer inocentadas que contribuyan a enriquecer el léxico de los niños. Puede empezar el propio maestro: «¡Oh, mirad, niños, tenemos un pavo en la ventana!», por ejemplo.

El maestro explicará el sentido de las bromas de Inocentes y hará que los niños traten de recordar alguna que hayan hecho, o les hayan hecho a ellos, el año anterior. Si no recuerdan ninguna, les ayudará a idear alguna que puedan gastarles a sus padres o hermanos en el día apropiado.

121 Cadenas de Navidad

OBJETIVO Desarrollar la musculatura pequeña y la socialización.

MATERIALES Muchas tiras de cartulina de colores, de 1 cm de ancho por 15 ó 20 cm de largo, y pegamento (pasta).

Por vieja que sea la idea, a la mayoría de los niños les encanta hacer cadenas de papel, ejercicio excelente para el desarrollo de la habilidad manual.

Dar a cada niño una provisión de tiras de cartulina. Enseñarles a confeccionar la cadena, pegando los dos extremos de una tira para hacer el primer eslabón, pasando por él la segunda tira y pegando sus extremos, etc. Explicarles que las cadenas pueden ser muy largas o muy cortas, y sirven para decorar el aula o para llevarlas a casa.

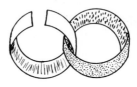

VARIACIÓN

Los eslabones pueden ser de distintos colores.

122 Panel decorativo de Navidad

OBJETIVO   Desarrollar la musculatura pequeña y la socialización.

MATERIALES   Cartulina verde y roja, crayones, hojas o retazos de papel para regalo con motivos navideños, hilo, cintas, tijeras y el recorte de un árbol de Navidad con una estrella en la copa.

Confeccionar largas guirnaldas de Navidad (Actividad 117), con las cuales se orla el mural decorativo, así como el árbol que se pondrá en él. Los niños prepararán algunos «paquetes» para poner al pie del árbol, recortando rectángulos de papel de regalos o de cartulina. Encima de estos «paquetes» poner adornos de hilo, cintas o lazos comprados en las tiendas.

Para dar mayor interés a esta actividad, los niños pueden realizar pequeños dibujos de los regalos que les gustaría recibir por Navidad. Una vez acabados, los dibujos se recortan y se aseguran con chinchetas a los «paquetes», que así servirán de atractivo marco para los dibujos.

123 Decoración del árbol

OBJETIVO Socialización,, sensibilidad artística y desarrollo de la coordinación ojo-mano.

MATERIALES Una pelota de gomespuma para cada niño, palillos, pintura dorada o plateada en *spray*, y clips para papeles o limpiadores de pipas.

Un ornamento de Navidad fácil de hacer es siempre un bonito regalo para los padres del niño. Puede conservarse muchos años, y hará revivir los recuerdos del niño todas las Navidades.

Distribuir a cada niño una pelota de gomespuma y varios palillos, enseñándoles de qué manera deben pincharlos en ella para cubrir completamente. Algunos palillos deben sobresalir más que otros. Enderezar un clip y pincharlo también en la pelota, formando un gancho para colgarla. Hecho esto, se pinta con *spray*.

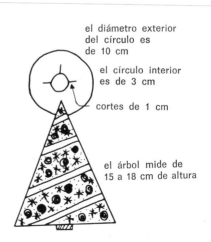

el diámetro exterior del círculo es de 10 cm

el círculo interior es de 3 cm

cortes de 1 cm

el árbol mide de 15 a 18 cm de altura

124 Decoraciones para la puerta

OBJETIVO Desarrollar la coordinación ojo-mano, y hacer un regalo a los padres.

MATERIALES Fieltro rojo (medio metro basta para veinte círculos de 10 cm de diámetro), fieltro verde (suficiente para recortar un árbol de 18 cm de altura para cada niño), pegamento y un surtido de estrellas engomadas, cuentas, lentejuelas, etcétera.

Es un atractivo ornamento para poner en la puerta de la casa y que también puede guardarse muchos años en la caja de las decoraciones navideñas.

Recortar un círculo de fieltro rojo y un arbolito de fieltro verde, y unir con grapas, como se ve en la figura.

Los niños decorarán libremente los arbolitos, pegándoles estrellitas, trocitos de fieltro rojo, cuentas, etc. Conviene que el maestro exhiba un modelo terminado.

125 Jabón decorado

OBJETIVO Hacer un regalo a la madre y ensayar una actividad artística.

MATERIALES Una pastilla de jabón para cada niño, pintura plateada, tarjetas navideñas o papel de regalo, y cola blanca.

El maestro prepara un modelo y lo muestra a la clase. Luego hace que los niños busquen en el montón de tarjetas viejas, eligiendo una a su gusto. Cabe recordarles que no las escojan demasiado grandes, para que se adapten a la pastilla de jabón. Una vez que hayan recortado las figuras, las pegan en el jabón. Hacer que los niños completen la tarea, salpicando el jabón con pintura plateada.

VARIACIÓN

De no usarse por Navidad, esta idea vale también para el Día de la Madre. En este caso, los niños escogerán motivos florales, o dispondrán de recortes cuadrados de 1 cm, papel de seda multicolor, para decorar el jabón.

126 Papel de cartas navideño

OBJETIVO   Hacer un regalo a la madre y seguir instrucciones.

MATERIALES   Seis hojas de papel para mimeógrafo o similar, y seis sobres, una hoja de cartulina de 30 × 40 cm y no menos de seis pegatinas de Navidad, para cada niño.

Repartir a los niños seis hojas de papel de mimeógrafo y seis sobres. Enseñar a plegarlo en dos, a lo ancho, para hacer papel de escribir, mostrándoles cómo debe abrirse. Explicarles, asimismo, su uso: «Mamá escribirá cartas con este papel especial, así

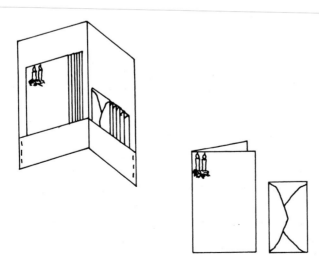

que no debéis pegar la decoración en el centro. Poner las pegatinas en la parte superior, para que quede en la hoja sitio para escribir».

Una vez plegado el papel, dar seis pegatinas a cada niño y explicarles que deben pegarlas arriba, mostrándoles cómo hacerlo.

Luego, con la cartulina de 30 × 40 cm confeccionar los estuches para las cartas. Primero, los niños pliegan la hoja en dos, a lo largo, asegurándola con grapas, como muestra el grabado. Luego lo pliegan por mitades, a lo ancho, formando una carpeta. Los niños pueden decorar también los estuches. Finalmente, ponen el papel en uno de los compartimientos y los sobres en el otro.

VARIACIÓN

Esta idea sirve también para el Día de la Madre, si no se realiza por Navidad. Los motivos decorativos serán florales.

127 Servilletas de fiesta

OBJETIVO   Socialización, sensibilidad artística y desarrollo de la musculatura pequeña.

MATERIALES   Una servilleta de papel, cartulina verde, trocitos de papel de colores, pasta blanca y tijeras para cada niño.

Cualquier servilleta de papel puede convertirse fácilmente en servilleta para la fiesta de Nochebuena. Sólo hay que plegarlas de la manera habitual. Previamente, el maestro habrá preparado triángulos isósceles de cartulina verde, dando uno de estos «triángulos árboles» a cada niño, para que lo pegue en la servilleta.

Luego, los niños recortarán circulitos de los papeles de colores, para pegarlos como decoración de los arbolitos. El maestro

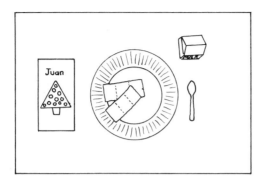

podrá también escribir el nombre de cada niño en su servilleta. En la última comida antes de las vacaciones de Navidad, los niños tendrán sus servilletas a la izquierda de los platos.

VARIACIÓN

En lugar de decorar los arbolitos con fragmentos de papel, se les pueden pegar estrellitas engomadas.

Esta idea es aplicable también a otras festividades del año escolar, cambiando los motivos decorativos según el caso.

128 Te regalo esto

OBJETIVO Un regalo de Navidad del maestro al niño.

MATERIALES Filtro rojo o verde (de un metro salen 25 medias), lentejuelas, barras de caramelo, tijeras para festonear, agujas, hilo de bordar y pegamento.

Algunos maestros gustan de hacer regalitos de Navidad a sus alumnos. Una idea consiste en obsequiarlos con medias de Navidad, decoradas con brillantes lentejuelas y llenas de caramelos u otros dulces propios de estas fiestas.

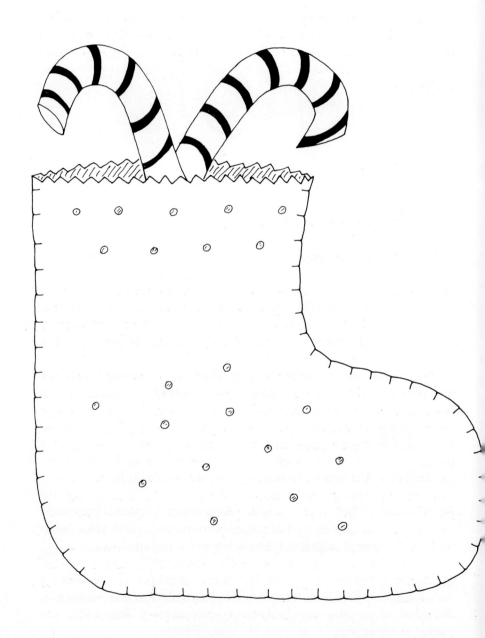

Hacer un modelo similar al del grabado, de unos 10 cm de alto por 12 cm entre el talón y la punta. Cortar dos piezas de fieltro para cada media, pudiendo decorarse la parte superior con las tijeras de festonear. Coser ambas piezas y pegar lentejuelas al azar.

129 El correo de Navidad

OBJETIVO Socialización.

MATERIALES Tijeras, lápices, tarjetas de cartulina de 6 × 10 cm y sobres de tamaño apropiado (uno de cada por alumno), pegamento, papel de color para recortar y patrones de figuritas hechas de cartón duro.

Poco antes de las vacaciones de Navidad, el maestro prepara un pequeño tablero de anuncios que decorará con algunos motivos alegóricos: orlas, guirnaldas, «nieve», etc. Luego distribuye los patrones de cartón entre los párvulos y les explica cómo deben colocar cada patrón sobre un papel de color y dibujar el contorno con el lápiz. Hecho esto, les explicará la forma de recortar las siluetas dibujadas en el papel, manejando las tijeras con todo cuidado. A continuación, los niños aplican el pegamento por el reverso del papel y lo pegan a la hoja de cartulina. Ya tienen una tarjeta de felicitación. Por último, cada niño escribirá en el sobre, con mayúsculas, el nombre del compañero a que va dirigida su tarjeta (que se habrá decidido mediante sorteo previo).

Entonces el maestro recoge los sobres y los fija con unas chinchetas en el tablero, procurando que las tarjetas sobresalgan de los sobres abiertos.

130 Confección de diseños decorativos

OBJETIVO Desarrollar la musculatura pequeña.

MATERIALES Modelos diversos para recortar, rotulador, lápices, tijeras, cartulina.

Se trata de una tarea difícil para muchos niños, pero todos se mostrarán encantados de aprenderla y se sentirán muy satisfechos cuando hayan asimilado la técnica. Para conmemorar diversas fechas (Año Nuevo, comienzo de la primavera, etc.), pueden confeccionar elementos decorativos simétricos (corazones, arbolitos ,flores, tréboles de cuatro hojas, etc.) que realizarán plegando una cartulina y marcando sobre ella un modelo que sea igual a la mitad de la figura, o a la cuarta parte, cuando aprendan a plegar en cuatro y a recortar un volumen mayor de cartulina.

El grabado ilustra la manera de confeccionar un corazón, en una hoja de cartulina plegada en dos. Conviene colorear con rotulador la parte del modelo que han de ajustar al pliegue de la hoja. Lo mismo que este corazón, pueden realizarse muchas otras formas simétricas, para las cuales el maestro prepara anticipadamente los modelos.

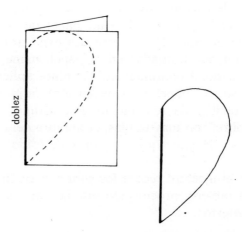

doblez

131 Corazones tridimensionales

OBJETIVO Desarrollar la musculatura pequeña.

MATERIALES Papel fuerte de envolver, papel higiénico, tijeras y grapadora.

132 Simpáticas y... apetitosas

OBJETIVO Desarrollar la musculatura pequeña.

MATERIALES Fresones u otro fruto primaveral, o trufas de chocolate (dos para cada niño), cartulina roja o blanca, pegamento blanco, tijeras, lápices, platos con agua o dos cajas de gelatina de postre en polvo.

Se recorta un corazón de cartulina roja o blanca de una hoja de 20 × 30 cm, para cada niño. (Pueden llevarse ya hechos a la escuela). Se reparten los corazones y se hace que los niños pinten rostros en ellos, dejando en blanco el sitio de la nariz.

Una vez pintadas las caras, se le da a cada niño un fruto de los indicados o una trufa de chocolate, diciéndoles que no es

para comerlo, pero que cuando termine de decorar los trabajos tendrá también uno para él. Se distribuyen unos platos con agua, en los cuales los niños embeberán los frutos de que se trate, por todos los lados menos uno. El maestro enseña cómo hacerlo. Luego, los niños humedecen sus frutos y los pasan por la gelatina en polvo. Dejar secar y, con una gotita de pegamento en el lado no rebozado del fruto, se pega éste al corazón de cartulina, en el sitio correspondiente a la nariz.

Otra posibilidad es que los niños abrillanten frutos, de la manera indicada, con gelatina en polvo, para servir en alguna fiesta que realicen en el aula.

133 ¿A que no sabes quién ha sido?

OBJETIVO Desarrollar la discriminación auditiva.

MATERIALES Un corazón u otra figura de cartulina.

Se recorta un corazón u otra figura de cartulina (de unos 10 × 12 cm) y se hace sentar a los niños en círculo, en el suelo, y a uno de ellos en medio del círculo. Este último permanece con los ojos cerrados, mientras otro hace desaparecer la figura de cartulina. Todos —incluso éste— deben permanecer con las manos a la espalda. El que ha sustraído la figura dice: «He sido yo», y a continuación el que está en el centro del círculo abre los ojos. Tendrá que adivinar quién le ha quitado la tarjeta, por el sonido de la voz que oyera a ciegas. Si acierta, sigue en el centro del círculo, como adivinador. Si yerra, pasa a sentarse en el círculo y el niño que sustrajo la tarjeta coge el turno de adivinador.

LA PRIMAVERA

134 Corazones y tréboles

OBJETIVO Desarrollar la musculatura pequeña.

MATERIALES Cartulina verde, tijeras, pegamento blanco o engrudo y papel de dibujo, para fondo, a cada niño.

Una vez que los niños han aprendido a recortar corazones, como en la Actividad 130, pueden empezar a realizar, sobre esa base, otras figuras un poco más complicadas. Una de ellas, por ejemplo, es el trébol, para el cual habrán de usar cartulina verde, y no roja. Se hace que cada niño recorte tres corazoncillos verdes y se les enseña cómo, «por arte de magia», con tres corazones pueden confeccionar un trébol, pegando las piezas a una hoja de papel de dibujo. Los pedúnculos pueden hacerse con los restos de material.

VARIACIÓN
135 La cesta de Pomona

Con la llegada de la primavera, los niños pueden aprender a confeccionar una gran variedad de motivos florales y frutales, a partir de las formas básicas, como el círculo, el semicírculo, el corazón, etc., en cartulina de distintos colores.

VARIACIÓN
136 Sobres de primavera

Los niños pueden confeccionarse sencillos sobres para llevar a casa sus trabajos de primavera. Para ello, se pliega por el medio una hoja de papel de envolver de 30 × 40 cm y se cierran los bordes, menos uno, con grapas. Estos sobres pueden decorarse con motivos florales o frutales pegados.

137 Prisioneros del dragón

OBJETIVO Desarrollar la musculatura.

MATERIALES Ninguno.

El maestro escoge a un niño para que sea el Dragón, y éste va juntando tras de sí a todos los demás, menos uno, que será el Cazador de Dragones. Todos los demás niños se alinean tras el Dragón, abrazándose por la cintura, y son todos dragoncillos a los que el monstruo ha encantado.

La fila se mueve, retorciéndose y ondulando como un reptil, y el Cazador de Dragones trata de «arrancar» al último niño de la fila. Cuando lo logra, se rompe el encantamiento y el dragoncillo vuelve a ser niño. Entonces, abraza por la cintura al Cazador, y ambos tratan de repetir la operación con otro niño de la fila del Dragón. El juego termina cuando todos los dragoncillos han vuelto a convertirse en niños.

138 Entra como un león...

OBJETIVO Desarrollar la musculatura pequeña.

MATERIALES Tres platitos de cartón por niño, lápices de colores, pasta o cola, trozos de cartulina amarilla para la cola de los leones y otros trozos de cartulina negra para las patas y el rabo de los corderos, cabezas de cordero hechas por el maestro (una para cada niño), copos de algodón y tijeras.

Explicar a los niños que en los Estados Unidos existe el refrán, basado en las peculiaridades climáticas de marzo en dicho país, de que «marzo entra como un león y se va como un cordero». ¿Cabe aplicar esta comparación al mes de febrero en España?
Enseñarles a confeccionar leones y corderos.

LEONES

Pintar de amarillo dos platitos de cartón para cada león. Uno será la cabeza, y el otro, el cuerpo. Pegar superpuestos, como en el grabado. Con un lápiz marrón dibujar los rasgos de la cabeza. Los bordes de este plato se decoran imitando la melena del animal. Pegar la cola, hecha de un trozo de cartulina amarilla; con ello queda concluida la figura.

CORDEROS

Pegar copos de algodón a un platito de cartón, como en el grabado. El maestro debe mostrar cómo se hace, para que los niños aprendan la cantidad de cola que se precisa. Distribuir

las cabezas, ya preparadas, los rabos y dos patas, a cada uno, para que las peguen en el sitio correcto. Las patas y los rabos pueden recortarlas los niños en trozos de cartulina negra. Asimismo, dibujarle un ojo, con un crayon negro.

Preparar un panel alusivo al tema, dividido en dos partes. En la primera, bajo el título de «Entra como un...», se disponen los leones, y en la otra se pegan los corderos, bajo el título de «Se va como un ...».

139 Estrellas de primavera

OBJETIVO Desarrollar una autoimagen positiva.

MATERIALES Cartulina para el festón y el paraguas, tijeras y chinchetas o grapas.

Preparar un mural alusivo a la primavera, para exhibir las creaciones de los niños. Decorar con una orla de cartulina empleando hojas de 30 × 40 cm cortadas en tercios a lo largo, y festoneadas con las tijeras. Confeccionar un paraguas, con cartulina del mismo color que la orla, y lo bastante grande como para que destaque entre los demás elementos del mural.

Confeccionar el paraguas con dos hojas de cartulina de 30 × 40 centímetros, plegadas a lo largo. Recortar por la diagonal, para obtener dos triángulos por cada hoja, festoneándolos luego por la base. Disponer los triángulos de modo que forme la copa de un paraguas. Con cartulina negra se imita el mango.

Hacer estrellas de papel o cartulina, cada una con el nombre de cada niño, y distribuirlas por el panel. El maestro les pregunta qué trabajo alusivo a la primavera (uno por niño) les apetecería colocar debajo de la estrella con su nombre. Algunos querrán poner uno de sus mejores trabajos ya realizados, pero otros quizás prefieran hacer un dibujo ex profeso.

Unos niños se interesan sólo por el trabajo de cada día; otros, en cambio, prefieren acumularlos, hasta que se deciden a llevárselos todos a casa.

VARIACIÓN

En lugar del paraguas y las estrellas, puede hacerse una flor de gran tamaño para simbolizar la estación y flores pequeñas para poner el nombre de cada niño. En este caso, el título del mural será «Flores de primavera». Los niños pueden confeccionar flores de cartulina para decorar la orla del mural.

140 Sauces llorones

OBJETIVO Rudimentos científicos y educación artística.

MATERIALES Media hoja de cartulina azul celeste de 20 × 30 cm y otra hoja, mayor, de color azul oscuro o negro, por cada niño; pintura blanca al agua, pinceles, lápices negros y tijeras.

Pueden hacerse delicadas figuras de sauces llorones, con unas pinceladas de pintura blanca sobre cartulina. Luego se enmarcan con cartulina de un color que contraste, y se disponen en un mural alusivo a la primavera.

Cortar por la mitad las hojas de cartulina azul celeste de 20 × 30 cm, de suerte que corresponda media hoja para cada niño. Cada uno dibujará una rama dispuesta en sentido vertical, con el lápiz negro. A continuación enseñarles cómo aplicar ligeras pinceladas de pintura blanca a ambos lados de las ramas. Sumergir suavemente el pincel en un recipiente con pintura blanca, y, sosteniendo el pincel en el puño dar una sola pincelada muy suave para cada florecilla del sauce. Dejar que seque y pegar estas hojas sobre otras mayores de cartulina azul oscuro o negro, de suerte que quede un borde imitando un marco.

VARIACIÓN

Con el mismo esquema básico, pero, en lugar de pintura, los niños pegan granos de arroz o trigo inflado, que imitan las florecillas de la rama de sauce.

141 Prendedor en forma de mariposa

OBJETIVO   Desarrollar la musculatura pequeña y la toma de decisiones.

MATERIALES   Para cada niño: una pinza de tender ropa, una hoja de papel con la silueta de una mariposa, rotuladores, lápices de color, tijeras, bolsitas de plástico transparente y grapadora.

A los niños les encantará llevar a casa esta creación en el Día de la Madre para que mamá la prenda en un cojín o en otro sitio en que luzca.

Dar a cada niño una hoja que contenga una o dos siluetas de mariposa, similares a las del grabado. Se hace dos mariposas, el niño podrá escoger la que le quede mejor. El cuerpo del insecto debe tener el mismo largo que la pinza.

Los niños marcan las líneas del contorno de cada mariposa con rotulador negro (color que resalta mucho). Indicarles que las coloreen de la mejor manera posible. Una vez que han terminado, las recortan. Los más pequeños suelen tener dificultades para usar las tijeras; la ayuda del maestro no requiere mucho tiempo.

Ahora pueden pegar en las pinzas la mariposa que elijan. Una vez seca la cola, se ponen las mariposas en las bolsitas de plástico y se cierran éstas con grapas. Una lazada o una flor de colores hacen más bonito el envoltorio del regalo.

142 El gran huevo de Pascua

OBJETIVO Desarrollar la musculatura pequeña.

MATERIALES Multitud de trocitos de papel de seda (de unos 7 cm de lado) de distintos colores, pasta blanca y tijeras.

Un gran huevo de Pascua multicolor sirve para decorar un panel alusivo a esta festividad. Recortar la forma del huevo en papel de estraza, o confeccionarla con trozos pequeños de cartulina unidos con cinta adhesiva. El huevo debe tener un tamaño tal que cubra todo el panel.

Luego, los niños le pegarán trocitos de papel de seda de diversos colores hasta cubrirlo totalmente. Los trozos de papel se pegan por un solo lado, para que queden sueltos y se cree un efecto de relieve.

VARIACIONES

Esta misma técnica del papel «tridimensional» puede aplicarse, por ejemplo, para hacer un árbol de Navidad u otros motivos alegóricos en distintas festividades.

143 Simpáticos conejillos

OBJETIVOS Reforzar el concepto de círculo.

MATERIALES Cartulina de colores (una hoja de 20 × 30 cm por cada niño, para hacer el fondo), cartulina para los círculos, copos de algodón, cola y lápices negros.

Cortar los círculos con antelación a la clase. Cada niño precisa un cuerpo de 12 cm, una cabeza de 7 cm y dos círculos de 3 cm para formar las orejas y las patas.

El maestro aprovecha este juego para fijar en los niños el concepto de círculo, mientras ellos desarrollan su destreza para plegar y cortar el material, al confeccionar estos simpáticos conejillos.

Dar a cada niño una hoja de cartulina de color claro, para el fondo. Distribuir los círculos ya recortados. Explicar que el círculo mayor será el cuerpo del conejo. Hacer que lo peguen en el centro de la hoja, mostrándoles la posición aproximada que deberá ocupar. A continuación, explicar que el círculo mediano será la cabeza del conejo, y que deben pegarla encima del cuerpo. Hacer que corten después por la mitad los otros dos círculos pequeños, plegándolos primero, para recortar por la línea. Dos mitades forman las orejas del conejo, y las otras dos, las patas, tal como en el grabado. Con el lápiz negro se dibujan los bigotes, y el trabajo se concluye haciendo el rabo con un copo de algodón encolado al cuerpo.

144 Sencillos cestos de Pascua

OBJETIVO Desarrollar la musculatura pequeña.

MATERIALES Un envase de leche, de cartón, de 1/4 de litro para cada niño, papel de seda, cartulina, pasta blanca, «hierba» de papel y confites.

Previamente, el maestro cortará la parte superior de los envases de leche, de modo que parezcan cajas abiertas, y hará unas asas de cartulina (de unos 3 × 20 cm) que luego asegurará con grapas a las cajas. También preparará un surtido de recortes de papel de seda de varios colores, de unos 5 cm de lado.

Distribuir entre los niños los envases con sus asas. Decir lo que son las canastillas de Pascua y explicarles que van a decorar los envases, para hacer con ellos unas bonitas cestitas.

Mostrarles que han de tomar un trocito de papel de seda del surtido que tienen ante sí, y enseñarles el modo de estrujarlo sin apretar demasiado y mojarlo en un pequeño recipiente lleno de pasta blanca. Los envases de flan son ideales para esto y se disponen de modo que cada uno pueda ser usado por dos o tres niños. Una vez engomada la bolita de papel, el niño la pega en el envase de leche. Se trata de cubrir el recipiente de bolitas de papel por los cuatro costados. Los niños pueden utilizar uno o varios colores, a su entera discreción. Conviene que el maestro tenga un par de modelos terminados para mostrarles cómo deben quedar.

Concluida la tarea, los alumnos dejan los cestos sobre una mesa u otro sitio adecuado. Asegurarse de que el nombre de cada niño figura en el fondo. Luego, cuando los pequeños se marchan, el maestro pone «hierba» de papel y confites en cada uno.

145 Para pescar huevos

OBJETIVO Desarrollar la musculatura pequeña.

MATERIALES Papel de seda, un molde de hornear, una pajita de refresco para cada niño, y tijeras.

El siguiente es un juego novedoso, estrechamente relacionado con la tradición de los huevos de Pascua. Recortar varios «huevos» de papel de seda, de unos 7 cm de largo, y disponerlos en un molde de repostería. Cada niño recibe una pajita y, por turno, trata de «pescar» los huevos de papel. El niño debe succionar tan fuertemente como pueda, para ver cuántos huevos atrapa de una sola vez. Gana el que logra pescar más.

Este juego también está indicado para la enseñanza de las matemáticas. Una vez que lo han aprendido pueden practicarlo dos o más niños sin supervisión del maestro. Con ello, logran aumentar su destreza para contar, aparte de ayudarse entre sí a determinar cuántos huevos ha atrapado cada uno.

146 Concurso de diseños de sombreros

OBJETIVO Desarrollar el lenguaje y la creatividad.

MATERIALES Platos de cartón y otros objetos familiares.

Al llegar la primavera, el maestro anuncia que la clase celebrará un concurso primaveral de diseños de sombreros. Puede explicarse a los niños que algunos de los mejores diseñadores de modas son hombres, y que tanto los varones como las niñas disfrutarán con la tarea de idear sombreros de primavera.

Los niños confeccionarán los sombreros en casa, usando como base un plato de cartón. El maestro les muestra algunos sombreros decorados por él mismo, para darles una idea de las posibilidades creadoras, y les alienta a que aprovechen cualquier material en desuso que encuentren en sus casas.

El último día de clase, antes de las vacaciones de la Semana Santa, todos traerán sus creaciones a la escuela, en una bolsa de papel o de plástico. El maestro reservará algunas horas para el concurso, en el cual los niños llevarán los sombreros que han creado. Puede pedir la colaboración de un colega y del director de colegio, para que hagan de jueces, e instituir algunos premios para el más cómico, el más bonito y el más raro de los sombreros. Además, se darán premios menores a los demás participantes, cuyos sombreros sean igualmente originales.

Puede enviarse una nota a los padres con cierta antelación, informándoles del concurso e invitándoles a presenciar el desfile primaveral.

Estimados padres:

El día ...., a las ...., celebraremos en nuestra clase un concurso de diseño de sombreros, que se vería distinguido por su asistencia, con el fin de compartir esta experiencia con todos nosotros.

He pedido a su hijo que diseñe un sombrero para esta ocasión. Ustedes pueden ayudarle a realizar su creación, pero les ruego que dejen al niño desarrollar su propia iniciativa.

Como base, se usará un plato de cartón, que puede adornarse con un cordón de zapatos, una cinta o un pañuelo a modo de barboquejo.

Se otorgarán premios al más cómico, al más bonito y al más raro de los sombreros que se exhiban. Pero todos los niños recibirán un premio como recompensa por su esfuerzo.

Estoy a su disposición para evacuar cualquier consulta. Agradeciéndole su colaboración por adelantado, quedo de Ustedes

Atentamente,

147 «Collage» floral

OBJETIVO Desarrollar la musculatura pequeña y reforzar el reconocimiento de formas geométricas.

MATERIALES Papel de dibujo de 30 × 40 cm (una hoja para cada niño); numerosas formas geométricas básicas, recortadas de restos de papel de empapelar, de envolver, de seda, etc., así como de fieltro y de tela; cartulina marrón y de colores claros; pegamento; tijeras.

Los niños participan en la realización de un mural alusivo a la llegada de la primavera. Entregar a cada uno una hoja de papel de dibujo de 30 × 40 cm. Luego, el maestro les explicará las formas geométricas que previamente habrá recortado. Los alumnos elegirán del surtido de figuritas aquéllas que prefieran, para después pegarlas en la hoja de dibujo, formando un diseño. El maestro puede llevar una muestra para que los párvulos comprendan lo que deben hacer. Les advierte que, cuando hayan concluido, retirará los diseños, para hacer con ellos algo muy especial, que será una sorpresa.

Cuando los niños se hayan marchado, el maestro recortará los diseños y realizará con ellos un gran «collage» de flores. Se recorta una canasta de cartulina marrón, que se fija al mural, y se distribuyen las flores dentro y alrededor de la canasta. El título puede ser: ¡Ya es, primavera!

REGALOS DE FABRICACION PROPIA

148 Libros de cocina para mamá

OBJETIVO Desarrollar el lenguaje.

MATERIALES Cada niño aportará una receta de cocina escrita por su madre; todas serán mecanografiadas, y se harán copias para que todos los alumnos tengan la colección completa; cartulina para las cubiertas (dos piezas para cada niño); lápices de colores, tijeras, pegamento y grapadora. (Para envolver el papel de periódico o de pintar, esponja o pajitas de refrescos, pintura al agua y recipientes.)

Pedir a cada niño que traiga escrita la receta predilecta de su madre. El maestro escribe a máquina la serie completa de recetas y distribuye las copias entre toda la clase, para que los alumnos formen un álbum con ellas.

Los niños decorarán las cubiertas de cartulina, bien con lápiz de color, o bien recortando láminas de alimentos y pegándolas de forma artística. Con la grapadora se cosen los recetarios y se envuelven para regalos de Navidad o del Día de la Madre.

Para envolver los regalos, entregar a cada niño una hoja grande de papel de periódico o de pintar. Verter una pequeña cantidad de pintura al agua en un recipiente llano y entregar a cada niño un trozo de esponja, que sumergirán en la pintura y aplicarán al papel. Otra manera de decorar el papel es con las pajitas de refresco, con las cuales pueden aplicar gotas de pintura en el papel.

149 «Collages» de madera para colgar

OBJETIVO Desarrollar las destrezas artísticas y la creatividad.

MATERIALES Astillas y viruta de madera, un trozo de contrachapado o táblex (aproximadamente de 20 × 30 cm) para cada niño, hembrillas para colgar los cuadros, pasta blanca y pintura al agua o a la goma laca.

Antes de iniciar esta actividad, hay que recoger una buena cantidad de astillas y virutas de madera en el taller de la escuela o en alguna carpintería vecina. Los paneles de base pueden ser trozos de contrachapado o táblex de aproximadamente 20 × 30 centímetros, o más pequeños, y no necesariamente rectangulares. A veces suelen encontrarse trozos redondos, con los que es posible hacer bonitos cuadros.

En la ferretería se compran las hembrillas para colgar los cuadros, que pueden venir provistas de unos dientes para clavarlas en la parte posterior del panel.

El día fijado para realizar esta tarea, cubrir las mesas con papel de periódico. En medio de ellas, poner un recipiente que contenga las astillas y virutas, de modo que queden al alcance de la mano. Disponer de un frasco de cola líquida por cada dos o tres alumnos.

El maestro distribuye los paneles para la base, provistos ya de hembrillas, y explica cómo hay que pegar las astillas y virutas para formar diseños artísticos. Debe recordarles que no deben pegar estos materiales en el reverso del panel, donde está clavada la hembrilla, y enseñarles la manera de determinar cuál es la parte superior del cuadro.

Una vez que los niños han entendido las instrucciones, pueden escoger dos o tres trocitos de madera cada vez, e incluso, intercambiarles trozos o escoger otros, a su entera discreción. Recomendarles que primero compongan el diseño, sin usar la pasta blanca. Cuando hayan logrado un dibujo que les satisfaga, podrán pegar cuidadosamente las piezas en su sitio.

Al día siguiente, con la pasta blanca ya seca, los niños pueden pintar sus cuadros con pintura al agua o a la goma laca.

150 Pisapapeles perfectos

OBJETIVO Desarrollar el pensamiento creativo.

MATERIALES Cada niño traerá un canto del tamaño adecuado, pintura al agua o láminas recortadas, pasta blanca y goma laca.

Encargar a los niños que cada uno traiga un canto que pueda servir de pisapapeles. Conviene mostrarles un ejemplo de unos 12 × 5 cm aproximadamente.

Se les hace lavar y secar cuidadosamente las piedras, y luego pintarlas o pegar figuras en ellas. Cuando los adornos estén secos, aplicar varias manos de goma laca o barniz transparente, para darle un aspecto atrayente.

A veces, si el canto o piedra es naturalmente hermosa, basta con barnizarlo para tener un buen pisapapeles.

151 Sujetalibros con piedras

OBJETIVO   Desarrollar la musculatura pequeña y profundizar en estudios sociales.

MATERIALES   Dos ladrillos para cada niño, multitud de cantos pequeños, pasta blanca, fieltro y goma laca en láminas.

Cada niño precisa dos ladrillos y una bolsa de cantos pequeños. Deben pegar estos últimos con pasta blanca, dejando limpios una cara y un canto en cada ladrillo, y luego barnizar todo. Conviene pegar un trozo de fieltro a la parte inferior de cada ladrillo, para que no rayen los muebles de madera.

Esta actividad cabe relacionarla con una clase acerca de la comarca en que se vive. El maestro puede hacer una exposición oral acerca de los tipos de piedras y rocas propias del lugar, usando como ejemplos las empleadas para los sujetalibros. No es necesario identificar cada tipo. Con niños tan pequeños, el aprender que no todas las comarcas del país tienen los mismos tipos de piedras será suficiente como introducción para ulteriores conocimientos.

V.
LOS ULTIMOS DIAS DE CLASE

El final del primer curso escolar es, a la vez, un acontecimiento feliz y triste para un niño. Triste, porque significa —eso esperamos— el fin de una época dichosa y familiar de alegría y aprendizaje. Pero también es feliz, porque marca el comienzo de algo. En resumidas cuentas, el auténtico crecimiento no es sino eso: significa tener el valor y la confianza de emprender cosas nuevas, y en ese proceso, desembarazarse de las viejas.

Si a los niños a quienes usted enseña les interesa afrontar nuevas situaciones, aunque al principio pueden asustarles un poco, eso quiere decir que usted, su maestro, ha logrado su objetivo del curso.

Las ideas de este último capítulo están destinadas a ayudarle a usted a rematar ese curso feliz, de modo que signifique algo especial para usted y para sus alumnos.

152 Una visita al futuro

OBJETIVO Crearse la confianza en sí mismos y socializaciṷn.

MATERIALES Dos cubiertas de cartulina y papel de dibujo de 9 × 12 cm, y crayones para cada niño.

Hacia el final del año escolar, el maestro prepara una visita a la clase a la que irán los niños el próximo otoño, o a una aula similar, si es que van a ser trasladados a otro edificio. Para ello, solicitará del otro maestro que explique algunas de las cosas que van a tener lugar en la que será su clase. Puede pedirle que explique a los párvulos algunas de las actividades que realizarán, o bien lo que se espera de ellos a ese nivel.

Los niños podrán sentarse en los pupitres, que serán más grandes. También podrán contemplar a los niños mayores haciendo su trabajo, o escuchar sus relatos acerca del año transcurrido.

Esto puede resultar beneficioso si los niños pequeños experimentan cierta aprensión ante la idea de alejarse del ambiente conocido. El viaje hacia el futuro les porporciona un sentimiento de importancia y les hace tomar conciencia de que han crecido y están en condiciones de avanzar.

Después de la visita, invitarles a que redacten una nota de agradecimiento.

MUCHÍSIMAS GRACIAS

Plegar en dos una hoja grande de cartulina o papel de dibujo, para hacer la cubierta de la nota de agradecimiento. Hacer un diseño sencillo para dicha cubierta, y con la ayuda de los niños redactar el texto que se escribirá en el interior.

Distribuir entre los niños unas hojas más pequeñas de papel de dibujo (9 × 12 cm, aproximadamente). Cada uno hará un dibujo de sí mismo y escribirá su nombre, con letra de imprenta, al pie del «retrato». El maestro pegará todos los dibujos en torno al texto, usando la contracubierta posterior si el espacio no es suficiente.

Concluida la tarjeta, el maestro puede designar una delegación de dos o tres niños para que la entreguen personalmente.

EL ULTIMO DIA DE CLASE

A los niños les gusta sentirse mayores e independientes en el último día de clase. Para esa fecha, generalmente se ha limpiado ya la clase, y se han guardado los juguetes y materiales para después del verano; las vacaciones están al iniciarse. Las siguientes son algunas ideas para convertir el último día de escuela en un acontecimiento muy especial. Puede elegir algunas de ellas y estudiar con los niños sus posibilidades. Permítales que participen en la preparación de su día.

153 Fiestas organizadas por los niños

Los niños prepararán todo lo que van a consumir en su fiesta. Un grupo podrá hacer los refrescos de frutas, otro el helado, y un tercero, otras golosinas.

ZUMO DE FRUTAS

Escoger un sabor de frutas que apetezca a toda la clase y determinar lo que se necesita: cuántos paquetes de refresco en polvo para disolver, cuánta azúcar y qué tipos de recipientes son necesarios para preparar el refresco y beberlo. Si se desea emplear hielo, hay que decidir, dónde conseguirlo y cómo conservarlo. El día de la fiesta, preparar la bebida siguiendo las instrucciones del fabricante.

HELADO FÁCIL

Un litro de nata, mitad líquida y mitad espesa, 3/4 de taza de azúcar, 1/8 de cucharadita de sal y una cucharadita y media de esencia de vainilla. Poner los ingredientes en un bol y revolver hasta que el azúcar y la sal estén completamente disueltos. Poner la mezcla en la nevera hasta que esté cuajada (15 a 20 minutos). Estas cantidades dan aproximadamente un litro y medio de helado. La mezcla de hielo y sal para rodear el recipiente debe ser de 6 a 8 partes de hielo picado por una parte de sal.

CREMA RÁPIDA

Derretir en una sartén ¼ de taza de mantequilla y verter, revolviendo, ¼ de taza de leche condensada y una cucharadita de esencia de vainilla. Añadir gradualmente una mezcla compuesta de ½ kilo de azúcar, ¾ de taza de chocolate en polvo y ¼ de cucharadita de sal. Revolver hasta que quede cremosa y suave. Verter la mezcla en un molde llano untado con mantequilla, o en papel de aluminio o similar, y cortar en trozos para servir.

154 Un día en el campo

Programar una serie de carreras, juegos y pruebas de habilidad con distintos aparatos, competencias de saltos a la comba, lanzamiento de balones, etc.

El maestro prepara unas cintas de papel o unas máscaras de expresión risueña, hechas de cartulina, para premiar a los vencedores. Conviene que todos los niños reciban uno por lo menos, para recompensar sus esfuerzos.

Servir meriendas sencillas, como botes de zumo de frutas y pastelillos.

He aquí algunas ideas para las competiciones:

CARRERAS A LO LOCO

Marcar una línea de partida y una meta. Los niños pueden correr individualmente o por equipos. Sólo en el momento de comenzar cada carrera, el maestro indicará la manera de correr. Por ejemplo: andando hacia atrás, en marcha rápida, pero sin correr, saltando, agarrándose la nariz o el tobillo, en cuclillas, imitando a los gansos, etc.

SALTO DE LONGITUD

Trazar una línea de partida para que los niños traten de dar un salto lo más largo posible. Al caer, deberán permanecer en el mismo lugar, hasta que todos hayan saltado. El ganador es el que haya dado el salto más largo. Esta competición puede hacerse por grupos, para evitar que los niños tropiecen con los que han saltado antes y lograr un mayor número de vencedores.

CARRERAS DE RELEVOS

Formar tres o cuatro equipos y hacer que corran alrededor de un poste, una silla u otro punto de referencia. Este tipo de carreras puede resultar difícil si los niños no han tenido una práctica previa durante el año.

155 A la caza de cacahuetes

Algunos niños mayores diseminarán una bolsa de cacahuetes sin cascar por toda la zona de juegos. Conviene que no estén demasiado escondidos y que la mayoría quede a la vista. Cada niño tendrá un límite de tiempo, de cinco a diez minutos. El que encuentre más cacahuetes será el ganador.

156 Las actividades predilectas

El maestro ayudará a los niños a que programen la jornada en torno a sus juegos, cuentos, poesías, entretenimientos y canciones predilectos. Es posible que algunos deseen narrar sus cuentos favoritos, mientras que otros quizá prefieran dirigir al resto en la interpretación de canciones u otros juegos.

157 Un buen espectáculo

El maestro tal vez opte por la proyección de una buena película. Durante la sesión, puede distribuir bolsas de palomitas de maíz u otro refrigerio.

158 Libros de recuerdos para el verano

MATERIALES Hojas de trabajo sobrantes de todo el año, cartulina para las cubiertas, rotuladores, lápices de colores y grapadora.

Durante el año, el maestro habrá ido guardando copias de las láminas de trabajo, modelos, páginas sueltas y materiales similares. En el último día de clase, cada niño podrá hacer una selección de esos excedentes. Grapar las colecciones entre cubiertas de cartulina. Indicar a los niños que escriban su nombre en la cubierta, con letra de imprenta, y la decoren con estampas alegóricas de las diversiones veraniegas. Hasta es posible que algunos de los niños repasen este material durante las vacaciones.

Conviene enviar previamente una carta a los padres, para explicarles que los libros de recuerdos no son deberes para realizar, sino simplemente algo que los niños han decidido hacer, quizá para jugar a la escuela en un día lluvioso.

Esa carta es la ocasión en que el maestro puede manifestar a los padres su agradecimiento por la colaboración prestada durante el curso escolar.

Estimados padres:

En el día de hoy pensamos hacer algunos cuadernos de recuerdos. Los niños han escogido libremente sus páginas de entre la variedad de hojas sobrantes de las actividades realizadas durante el año. No son deberes, aunque su hijo acaso quiera completar los ejercicios contenidos en el libro.

Eso sí, le servirá para jugar a la escuela o para pasar el tiempo durante los días lluviosos.

Aprovecho esta oportunidad para expresarles mi agradecimiento por la colaboración que me han prestado durante el año escolar. En especial, quiero subrayar mi reconocimiento hacia la labor realizada por la señora .... y la señora .... que actuaron como auxiliares durante el curso.

Me ha resultado muy grato tener a su hijo en mi clase y creo que todos hemos vivido una experiencia satisfactoria.

Les reitero mis mejores deseos de que pasen un feliz verano.

Atentamente,

Indice analítico de actividades

EDUCACIÓN INFANTIL

Títulos publicados

Títulos publicados

Cómo responder a las preguntas sobre el sexo
Cómo motivar a sus alumnos
Cómo explicar los mapas
Cómo organizar una biblioteca
Cómo desarrollar la lectura crítica
Cómo resolver conflictos en clase
Cómo fomentar los valores individuales
Cómo enseñar el arte
Cómo hacer fácilmente material didáctico
Cómo realizar actividades plásticas y artesanales
Cómo jugar con el lenguaje
Cómo realizar 45 itinerarios por el arte español 1
Cómo medir y desarrollar los hábitos personales
Cómo educar la sexualidad en la escuela
Cómo realizar 45 itinerarios por el arte español 2
Cómo introducir y utilizar el ordenador en clase
Cómo estimular la expresión oral en clase
Cómo educar las actitudes
Cómo integrar el vídeo en la escuela
Cómo enseñar la ortografía
Cómo organizar la clase
Cómo aplicar estrategias de enseñanza 1
Cómo aplicar estrategias de enseñanza 2
Cómo elaborar programas interactivos
Cómo lograr una enseñanza activa de la matemática
Cómo educar la autoestima
Cómo visitar un museo
Cómo mantener la disciplina
Cómo fomentar los hábitos de lectura
Cómo educar la comunicación oral
Cómo entender y aplicar la democracia en la escuela
Cómo organizar colonias escolares